AF218716

ACCESO GRATIS *a la Lectura en la Nube*

Para visualizar el libro electrónico en la nube de lectura envíe junto a su nombre y apellidos una fotografía del código de barras situado en la contraportada del libro y otra del ticket de compra a la dirección:

ebooktirant@tirant.com

En un máximo de 72 horas laborales le enviaremos el código de acceso con sus instrucciones.

La visualización del libro en **NUBE DE LECTURA** excluye los usos bibliotecarios y públicos que puedan poner el archivo electrónico a disposición de una comunidad de lectores. Se permite tan solo un uso individual y privado

LA RELACIÓN ENTRE DERECHO PENAL Y DERECHO ADMINISTRATIVO SANCIONADOR.

UNA PROPUESTA BASADA EN LA IDEA DE LA PRISIÓN COMO *ULTIMA RATIO*

COMITÉ CIENTÍFICO DE LA EDITORIAL TIRANT LO BLANCH

MARÍA JOSÉ AÑÓN ROIG
*Catedrática de Filosofía del Derecho de la
Universidad de Valencia*

ANA CAÑIZARES LASO
*Catedrática de Derecho Civil
de la Universidad de Málaga*

JORGE A. CERDIO HERRÁN
*Catedrático de Teoría y Filosofía de
Derecho. Instituto Tecnológico
Autónomo de México*

JOSÉ RAMÓN COSSÍO DÍAZ
*Ministro en retiro de la Suprema Corte
de Justicia de la Nación y miembro de
El Colegio Nacional*

EDUARDO FERRER MAC-GREGOR POISOT
*Juez de la Corte Interamericana de Derechos
Humano, Investigador del Instituto de
Investigaciones Jurídicas de la UNAM*

OWEN FISS
*Catedrático emérito de Teoría del Derecho de la
Universidad de Yale (EEUU)*

JOSÉ ANTONIO GARCÍA-CRUCES GONZÁLEZ
*Catedrático de Derecho Mercantil
de la UNED*

LUIS LÓPEZ GUERRA
*Catedrático de Derecho Constitucional de la
Universidad Carlos III de Madrid*

ÁNGEL M. LÓPEZ Y LÓPEZ
*Catedrático de Derecho Civil de la
Universidad de Sevilla*

MARTA LORENTE SARIÑENA
*Catedrática de Historia del Derecho de la
Universidad Autónoma de Madrid*

JAVIER DE LUCAS MARTÍN
*Catedrático de Filosofía del Derecho y Filosofía
Política de la Universidad de Valencia*

VÍCTOR MORENO CATENA
*Catedrático de Derecho Procesal
de la Universidad Carlos III de Madrid*

FRANCISCO MUÑOZ CONDE
*Catedrático de Derecho Penal
de la Universidad Pablo de Olavide de Sevilla*

ANGELIKA NUSSBERGER
*Catedrática de Derecho Constitucional e Internacional
en la Universidad de Colonia (Alemania)
Miembro de la Comisión de Venecia*

HÉCTOR OLASOLO ALONSO
*Catedrático de Derecho Internacional de la
Universidad del Rosario (Colombia) y
Presidente del Instituto Ibero-Americano de
La Haya (Holanda)*

LUCIANO PAREJO ALFONSO
*Catedrático de Derecho Administrativo de la
Universidad Carlos III de Madrid*

TOMÁS SALA FRANCO
*Catedrático de Derecho del Trabajo y de la
Seguridad Social de la Universidad de Valencia*

IGNACIO SANCHO GARGALLO
*Magistrado de la Sala Primera (Civil) del
Tribunal Supremo de España*

TOMÁS S. VIVES ANTÓN
*Catedrático de Derecho Penal de la
Universidad de Valencia*

RUTH ZIMMERLING
*Catedrática de Ciencia Política de la
Universidad de Mainz (Alemania)*

Procedimiento de selección de originales, ver página web:
www.tirant.net/index.php/editorial/procedimiento-de-seleccion-de-originales

LA RELACIÓN ENTRE DERECHO PENAL Y DERECHO ADMINISTRATIVO SANCIONADOR

UNA PROPUESTA BASADA EN LA IDEA DE LA PRISIÓN COMO *ULTIMA RATIO*

MARC SALAT PAISAL

Profesor Lector Serra Húnter de Derecho Penal

Universitat de Lleida

tirant lo blanch

España, 2021

Copyright ® 2021

Todos los derechos reservados. Ni la totalidad ni parte de este libro puede reproducirse o transmitirse por ningún procedimiento electrónico o mecánico, incluyendo fotocopia, grabación magnética, o cualquier almacenamiento de información y sistema de recuperación sin permiso escrito de los autores y del editor.

En caso de erratas y actualizaciones, la Editorial Tirant lo Blanch publicará la pertinente corrección en la página web www.tirant.com.

© Marc Salat Paisal

© TIRANT LO BLANCH
EDITA: TIRANT LO BLANCH
C/ Artes Gráficas, 14 - 46010 - Valencia
TELFS.: 96/361 00 48 - 50
FAX: 96/369 41 51
Email:tlb@tirant.com
www.tirant.com
Librería virtual: www.tirant.es
DEPÓSITO LEGAL: V-1502-2021
ISBN: 978-84-1397-048-6
MAQUETA: Disset Ediciones

Si tiene alguna queja o sugerencia, envíenos un mail a: *atencioncliente@tirant.com*. En caso de no ser atendida su sugerencia, por favor, lea en *www.tirant.net/index.php/empresa/politicas-de-empresa* nuestro procedimiento de quejas.

Responsabilidad Social Corporativa: http://www.tirant.net/Docs/RSCTirant.pdf

Índice

Capítulo III:
Las soluciones previstas en Derecho comparado.

Capítulo IV:
Propuesta de *lege ferenda*

INTRODUCCIÓN

Desde finales de los años 80 y durante la década de los años 90 del siglo pasado, la cuestión de los límites entre el Derecho penal y el Derecho administrativo sancionador constituyó un tema de máximo interés en la doctrina penalista española. Este interés derivó, en esencia, del movimiento descriminalizador europeo y de la aprobación de la Ley Orgánica 3/1989, de 21 de junio, de actualización del Código Penal, a través de la cual se descriminalizó un importante número de conductas, tipificadas hasta entonces como faltas en el Código Penal español entonces vigente. En la doctrina administrativista esta fue también una preocupación constante, especialmente entre quienes planteaban la necesidad de limitar el poder sancionador del que disponía la Administración española de la época.

El interés en la materia ha resurgido en los últimos años a raíz, principalmente, de la última gran reforma que el legislador español ha realizado en materia de Derecho penal sustantivo -esto es, la llevada a cabo a través de la LO 1/2015-1. La misma supuso la desaparición del Libro III del CP, lo que provocó la descriminalización parcial de determinadas faltas, de manera que actualmente bien se recogen como infracciones administrativas, bien solamente es posible exigir responsabilidad civil extracontractual frente a la comisión de las conductas que fueron destipificadas. Según la propia Exposición de motivos de la mencionada ley, la derogación de las faltas y su conversión en infracciones administrativas o meramente civiles se debe a la necesidad de disminuir el número de asuntos penales considerados menores y la misma se realiza en base al principio de intervención mínima.

Esta despenalización parcial de algunas conductas consideradas delictivas hasta 2015 llevó a que parte de la doctrina se replanteara si el legislador realmente tiene absoluta disponibilidad para decidir si una conducta debe ser castigada a través del Derecho penal o del Derecho administrativo sancionador. Esta vez, sin embargo, la cuestión de los límites no se plantea ya desde un punto de vista dogmático, sino

---

[1] Con posterioridad se han aprobado otras seis reformas del CP: dos en 2019, una última este pasado año 2020, y tres en lo que vamos de 2021.

principalmente en base a los principios limitadores del *ius puniendi*. La cuestión ya no es tanto si existen conductas o sanciones que solo pueden ser de naturaleza penal o de naturaleza administrativa, sino sobre todo si desde un punto de vista de política criminal es posible articular de forma ordenada el actual *ius puniendi* del Estado. Es decir, el debate se centra ahora en si es posible establecer unos criterios que sirvan al legislador para con el objetivo de articular el aparato de infracciones y sanciones del que dispone el Estado. Junto a ello, el tema de los límites entre el Derecho penal y el Derecho administrativo sancionador se ha planteado incluso desde otro paradigma: el de las garantías de uno y otro sistema y su acomodación en el art. 24 CE. Esto es, por el hecho de que el Derecho penal y el Derecho procesal penal es mucho más respetuoso con el principio de legalidad y los derechos y garantías propias del proceso constitucionalmente reconocidos.

Ante tal estado de la cuestión, en el que se constata la falta de claridad sobre la naturaleza de determinadas infracciones y partiendo del hecho de que no es una simple cuestión de etiquetas, nos planteamos, como primer objetivo del presente trabajo, si es posible encontrar límites claros entre el Derecho penal y el Derecho administrativo sancionador[2]. Para ello, se efectuará una breve revisión de las distintas teorías clásicas y también de las más modernas, confrontándolas con el derecho positivo español, para así concluir si alguna de las teorías que han sido formuladas desde la doctrina penal o administrativista tiene capacidad para delimitar, establecer los límites, entre ambos sistemas punitivos.

Puesto que la hipótesis de partida es que no existen límites dogmáticos entre ambos derechos punitivos, el segundo objetivo que persigue la presente investigación es analizar si sigue siendo necesario que el ordenamiento jurídico español continúe previendo dos sistemas punitivos. Esto es, si es posible prescindir del Derecho penal o del

---

[2]   Sobre la cuestión relativa a los límites entre el Derecho penal y el Derecho administrativo sancionador se ha publicado previamente una versión resumida del mismo en SALAT PAISAL, M., "El Derecho penal como prima ratio: la inadecuación del Derecho administrativo sancionador y la necesidad de buscar soluciones en el seno del Derecho penal", *Revista General de Derecho Administrativo*, vol. 51, 2019.

Derecho administrativo sancionador. Para ello, se tendrán en cuenta tanto los argumentos que han sido vertidos para defender el uso y expansión del Derecho administrativo sancionador como la realidad jurídica española, concretamente en lo que se refiere a las diferentes garantías que supone para el interesado la aplicación de uno u otro Derecho. Partiendo de la necesidad de coexistencia de ambos derechos sancionadores, el siguiente objetivo de la investigación reside en buscar otros criterios que sirvan para determinar si una infracción debe ser castigada mediante el uso del Derecho penal o el Derecho administrativo sancionador, principalmente mediante el uso del principio de proporcionalidad en sentido amplio. Esto es, a través del principio de idoneidad, de necesidad y proporcionalidad en sentido estricto. Lo cierto es que, como se verá *infra*, el conjunto de principios materiales que derivan de la idea de proporcionalidad pueden ayudar a establecer si una conducta debe ser castigada o no, o si la comisión de la misma merece una mayor o menor sanción, pero difícilmente sirven como criterios para establecer límites entre ambos derechos.

Puesto que se considera que no es posible delimitar ambos sistemas punitivos, en el presente trabajo se defenderá la tesis según la cual el Derecho penal debe ser aplicado en primer término, como *prima ratio*, en detrimento de otros sistemas punitivos que el Estado tiene a disposición, al ser este el sistema más garantista, pues cuenta con mayores garantías sustantivas y procesales. No obstante, consciente de que tal posición conduciría a un colapso del sistema de justicia penal, se pretende acudir al Derecho comparado con el fin de buscar soluciones que permitan evitar el mismo.

Finalmente, el objetivo final y más importante de la presente investigación radica en la presentación de una propuesta de *lege ferenda* en la que, partiendo de las conclusiones previas, se pretende describir aquellos mecanismos alternativos que permitan agilizar el proceso a través de cual se impone una sanción a la par que permitan que el presunto infractor no deba renunciar a las garantías del proceso previstas en la Constitución española.

Capítulo I:

LA BÚSQUEDA DE LÍMITES DOGMÁTICOS ENTRE EL DERECHO PENAL Y EL DERECHO ADMINISTRATIVO SANCIONADOR.

1. INTRODUCCIÓN.

Pese a que, en parte, ya se ha avanzado la postura personal acerca de la validez de las distintas teorías a través de las que se ha pretendido justificar la identidad o la existencia de diferencias ontológicas entre las infracciones o las sanciones penales y administrativas, y pese a que multitud de autores con anterioridad han expuesto ya los argumentos y contraargumentos de las distintas teorías, es necesario en este momento del trabajo hacer una breve mención acerca de las principales teorías que se han formulado para después poder exponer los argumentos que deben llevarnos a rechazarlas.

Con carácter previo, debe reconocerse que determinar si las infracciones penales y las administrativas son en puridad lo mismo o, por el contrario, son instituciones de distinta naturaleza es importante no sólo con y para la dogmática, sino sobre todo por las consecuencias que ello tiene en la realidad jurídica. Uno de los principales efectos es en relación con el principio *non bis in idem*[3]. Si se acepta que ambas sanciones son sustancialmente idénticas implicará que el principio

---

[3]   Vid. Cerezo Mir, J., "Límites entre el Derecho penal y el Derecho administrativo, en *Anuario de Derecho Penal y Ciencias Penales*, Tomo XXVIII, fascículo II, mayo-agosto, 1975, p. 162; García Albero, R., "La relación entre ilícito penal e ilícito administrativo: texto y contexto de las teorías sobre la distinción de ilícitos", en Quintero Olivares, G. / Morales Prats, F. (dirs.), *El nuevo Derecho penal económico. Estudios penales en memoria del profesor José Valle Muñiz*, Ed. Aranzadi, Pamplona, 2001, p. 297; Cobo del rosal, M. / Boig Reig, F. J.,

non bis in idem deba regir con toda su vigencia. Caso contrario, que puedan castigarse ambas infracciones de forma conjunta.

Lo mismo sucede en relación con la aplicación de los principios generales del Derecho penal al Derecho administrativo sancionador[4]. Si se defiende que entre unas y otras infracciones no hay diferencias cualitativas supondrá automáticamente que deba sostenerse que los principios del Derecho penal deban – aunque con matices – aplicarse al Derecho administrativo sancionador.

Otra de las implicaciones prácticas, o más concretamente de política criminal, es el hecho de que considerar a ambas infracciones como cualitativamente distintas implica que el legislador no sea libre, no tenga discrecionalidad, a la hora de decidir si una conducta debe ser castigada a través del Derecho penal o el administrativo sancionador[5]. Incluso, algunos autores han planteado que caso de considerar ambas infracciones sustancialmente idénticas debe directamente hacernos replantear si tiene sentido la vigencia de ambos instrumentos punitivos.

No obstante, tal como ha sido puesto de manifiesto por parte de la doctrina, es importante tener en cuenta el contexto histórico y sociopolítico que está detrás de las distintas teorías[6]. En este sentido, son diversos los autores que, con razón, han alertado de que no es posible trasladar las distintas teorías que se han formulado en Alemania o Italia sobre la materia directamente al Ordenamiento jurídico español,

---

"Garantías constitucionales del Derecho sancionador", en Cobo del Rosal (dir.), *Comentarios a la legislación penal*, EDERSA, 1982, p. 213.

[4] En este sentido, vid. García Albero, R., "La relación entre ilícito penal e ilícito administrativo: texto y contexto de las teorías sobre la distinción de ilícitos", cit., p. 298; Nieto García, A., *Derecho administrativo sancionador*, 5ª ed, Ed. Tecnos, 2012, p. 126.

[5] En este sentido, García Albero, R., "La relación entre ilícito penal e ilícito administrativo: texto y contexto de las teorías sobre la distinción de ilícitos", cit., pp. 297-298. Cerezo Mir, J., "Límites entre el Derecho penal y el Derecho administrativo, cit., p. 162.

[6] Huergo Lora, A., *Las sanciones administrativas*, 2007, Ed. Iustel, Madrid, pp. 53 y 136; también, citando a Casabó, vid. Peris Riera, J. M., *El proceso despenalizador*, Ed. Universidad de Valencia, Valencia, 1983, pp. 227 y 228; García Albero, R., "La relación entre ilícito penal e ilícito administrativo: texto y contexto de las teorías sobre la distinción de ilícitos", cit., p. 299.

pues la realidad normativa en estos países es absolutamente distinta de la existente en España. La mayoría de las teorías que han sido importadas, y muchas veces asumidas como propias sin valorar su adecuación a nuestra realidad, parten de una base: la llamada hipertrofia del Derecho penal y con ellas se pretende justificar el fenómeno de la despenalización[7]. En España, en cambio, nunca ha existido tal problema, pues, a diferencia de los países mencionados, en los que el monopolio punitivo residía en el poder judicial, la Administración española ha gozado siempre del poder de castigar[8]. El origen de estas teorías, como se ha dicho, respondía a la necesidad de justificar una reforma en el órgano encargado de ejercer el poder de castigar, por lo que se mueven en el plano del deber-ser y no en el derecho positivo, por lo que es difícil después defender o no su validez de acuerdo con lo que el Ordenamiento jurídico prevé o no[9].

---

[7] Muy crítico con el análisis que se ha hecho de los límites entre el Derecho penal y el Derecho administrativo sancionador en España por parte de la doctrina penalista – que dicho de paso, era la que hasta entonces se había ocupado del tema – por el hecho de estudiar el problema desde un punto de vista metafísico sin tener en cuenta el estudio del Derecho positivo español, Parada Vázquez, R., "El poder sancionador de la Administración y la crisis del sistema judicial penal", en *Revista de Administración Pública*, núm. 67, 1972, p. 43; Rando Casermeiro, P., *La distinción entre el Derecho penal y el Derecho administrativo sancionador. Un análisis de política jurídica*, Ed. Tirant lo Blanch, Valencia, 2010, pp. 60-61.

[8] Como indica Peris, en España lo que había era una hipertrofia del Derecho administrativo sancionador y no del Derecho penal. En este sentido, vid. Peris Riera, J. M., *El proceso despenalizador*, cit., p. 285. Igualmente, señalando las diferencias entre las situaciones en derecho comparado y la española, vid. Parada Vázquez, R., "El poder sancionador de la Administración y la crisis del sistema judicial penal", cit., pp. 47-61, quien hace un análisis comparado de las legislaciones francesas, italiana e inglesa; García Albero, R., "La relación entre ilícito penal e ilícito administrativo: texto y contexto de las teorías sobre la distinción de ilícitos", cit., pp. 299-300; Huergo Lora, A., *Las sanciones administrativas*, cit., pp. 54 y ss.; Cerezo Mir, J., "Límites entre el Derecho penal y el Derecho administrativo, cit., p. 162; Rando Casermeiro, P., *La distinción entre el Derecho penal y el Derecho administrativo sancionador. Un análisis de política jurídica*, cit., pp. 25 y 74-75; Alarcón Sotomayor, L., "Los confines de las sanciones: en busca de la frontera entre Derecho penal y Derecho administrativo sancionador", *Revista de Administración Pública*, núm. 195, 2014, pp. 145-146.

[9] Vid. García Albero, R., "La relación entre ilícito penal e ilícito administrativo: texto y contexto de las teorías sobre la distinción de ilícitos", cit., pp. 300-301, quien critica que durante mucho tiempo se haya hecho un análisis de las distintas

Realizadas estas advertencias, en las páginas que se siguen se expondrá brevemente el hilo argumental de las principales teorías que pretenden explicar la relación entre las infracciones y sanciones penales y administrativas sancionadoras. Esquemáticamente, estas van a diferenciarse entre aquellas teorías que consideran que existen diferencias de carácter cualitativo o aquellas que por el contrario consideran que solo existen diferencias de carácter cuantitativo o formal, de modo que no hay diferencias entre unas y otras, para finalmente hacer mención a aquellas teorías mixtas cualitativas-cuantitativas.

2. LAS TEORÍAS ONTOLÓGICAS.

2.1. Las teorías cualitativas.

Las teorías cualitativas son aquellas que defienden que existen diferencias ontológicas entre las infracciones o sanciones penales y aquellas otras de naturaleza administrativa.

Actualmente son múltiples las tesis que defienden una diferencia cualitativa entre el Derecho penal y el administrativo sancionador. Los orígenes de estas teorías aparecen, según se indica por parte de la doctrina, con la Ilustración[10]. No es, sin embargo, hasta la obra de James Goldschmidht y su teoría del Derecho penal administrativo que puede hablarse realmente de una teoría con la que se pretenda diferenciar ambos cuerpos legislativos[11].

---

teorías sin tener en cuenta que en España se preveía ya la existencia de ambos tipos de sanciones.

[10]   Vid. Mattes, H., *Problemas de Derecho penal administrativo. Historia y Derecho comparado*, Ed. EDERSA, 1979, pp. 43-44. También, entre otros, Cerezo Mir, J., "Límites entre el Derecho penal y el Derecho Administrativo", cit., p. 161, quien en nota a pie de página núm. 9 apunta que ya Feuerbach intentó establecer una distinción conceptual entre el Derecho penal y el llamado Derecho de policía; Cordero Quinzacara, E., "El Derecho administrativo sancionador y su relación con el Derecho penal", en *Revista de Derecho*, vol. XXV, núm. 2, 2012, pp. 134-136; Garberí Llobregat, J., *La aplicación de los derechos y garantías constitucionales a la potestad y al procedimiento administrativo sancionador*, Ed. Trivium, 1989, pp. 62-63.

[11]   En este sentido, García Albero, R., "La relación entre ilícito penal e ilícito administrativo: texto y contexto de las teorías sobre la distinción de ilícitos", cit., p. 326.

La famosa teoría del Derecho penal administrativo surge en un momento en el que en Alemania se estaba produciendo un constante incremento de la actividad de la Administración sin que a su vez dispusiera de facultades para sancionar a aquellos que contravinieran sus normas. Si el Derecho penal debía ser el encargado de tipificar y, a través de los tribunales penales, sancionar a todo aquel que incumpliera las normas administrativas podía provocar una extensión del número de ilícitos penales y, lo más preocupante, una sobrecarga de los tribunales penales, lo que por tanto podía conllevar a la hipertrofia del Derecho penal[12]. Es decir, el surgimiento de teorías a través de las cuales se justificaba la necesidad de diferenciar ontológicamente entre ilícitos y sanciones penales y administrativas parten de la necesidad de descargar de trabajo a los tribunales penales y, por tanto, de la necesidad de justificar el hecho de dotar de la potestad de sancionar a otros órganos distintos de los tribunales. La tesis de Goldschmidt debe enmarcarse en este contexto; es decir, en un contexto de despenalización, de armamiento de un nuevo sistema de sanciones administrativas. Con ello, pues, lo que se pretendía era establecer diferencias de *lege ferenda* entre ambos sistemas: el penal y el administrativo[13].

Según el autor, la diferencia entre ambos instrumentos radica en el objeto de tutela. El Derecho penal se ocupa de la tutela de bienes jurídicos castigando los hechos antijurídicos; es decir, hechos que materialmente suponen una lesión, un daño de bienes jurídicos de portadores individuales de voluntad. El Derecho administrativo sancionador, en cambio, tutela la promoción del bienestar y la prosperidad y lo que castiga son hechos antiadministrativos. Son creaciones positivas del Estado derivadas de la voluntad de éste, pero sin que las mismas partan de una convicción ética de la comunidad. El Derecho penal se

---

[12]   En este sentido, Cerezo Mir, J., "Límites entre el Derecho penal y el Derecho Administrativo", cit., p. 161. También, García Albero, R., "La relación entre ilícito penal e ilícito administrativo: texto y contexto de las teorías sobre la distinción de ilícitos", cit., p. 299, en nota a pie de página 15, quien señala, en palabras de Paliero, la expansión de la legislación penal especial, sobre todo en materia económica y bienes colectivos.

[13]   Vid. García Albero, R., "La relación entre ilícito penal e ilícito administrativo: texto y contexto de las teorías sobre la distinción de ilícitos", cit., p. 299.

dirige a las personas en tanto que individuos y el Derecho administrativo a las personas en tanto que miembros de la comunidad[14].

Los puntos de partida de la tesis del Derecho penal administrativo fueron después desarrollados por Erik Wolf quien, después que buena parte de la doctrina alemana hubiera criticado la teoría de Goldschmidt, trató de fundamentar la teoría desde una perspectiva filosófica-jurídica[15]. Para éste, la pena administrativa era una pena de carácter penal. La diferencia estaba en que tiene un sentido distinto; es una medida disciplinaria, una pena de orden sin que contenga, en palabras de Mattes, ninguna "desaprobación de un enemigo de la sociedad o de un consorte cultural indiferente al derecho, sino que pretende sólo alarmar a un sujeto de derechos socialmente descuidado, políticamente indolente y estimular la activación de su personalidad jurídica [...] El autor (de un delito administrativo) no es socialmente dañoso o peligroso, sino socialmente descuidado"[16]. Así, el Derecho penal administrativo es Derecho penal en lo formal, pero Derecho administrativo en lo material.

Eberhard Schmidt dio un nuevo paso a la teoría del Derecho penal administrativo con su teoría de las infracciones del orden. Según éste, la diferencia entre el injusto penal y administrativo se encuentra en que este último hace referencia al deber de desobediencia del ciudadano con la Administración – de los intereses administrativos – sin que su infracción tenga una significación social; son, por tanto, meras infracciones del orden. El Derecho penal, en cambio, protege bienes jurídicos. Las infracciones penales suponen una lesión, un

---

[14]   Sobre ello, vid. ampliamente Mattes, H., *Problemas de Derecho penal administrativo. Historia y Derecho comparado*, cit., pp. 184-195; García Albero, R., "La relación entre ilícito penal e ilícito administrativo: texto y contexto de las teorías sobre la distinción de ilícitos", cit., pp. 328-329; Cordero Quinzacara, E., "El Derecho administrativo sancionador y su relación con el Derecho penal", cit., pp. 136-138; Peris Riera, J. M., *El proceso despenalizador*, Ed. Universidad de Valencia, 1983, pp. 197-198; Garberí Llobregat, J., *La aplicación de los derechos y garantías constitucionales a la potestad y al procedimiento administrativo sancionador*, cit., p. 63.

[15]   Así lo pone de manifiesto García Albero, R., "La relación entre ilícito penal e ilícito administrativo: texto y contexto de las teorías sobre la distinción de ilícitos", cit., p. 329.

[16]   Mattes, H., *Problemas de Derecho penal administrativo. Historia y Derecho comparado*, cit., p. 209.

daño concreto, a los bienes jurídicos[17]. En el plano de las sanciones, las penas criminales sirven a los fines de la inocuización o reinserción basada en la idea de expiación. Las sanciones administrativas, en cambio, son un medio de coerción administrativa sin el contenido propio de las penas[18]. De nuevo, la teoría de Schmidt debe valorarse en el marco histórico-jurídico de la época y de acuerdo con lo que a través de la misma se pretendía conseguir. En este sentido, Mattes indica que esta teoría surge en un momento histórico (la postguerra) en el que la Administración había conseguido un gran poder en materia penal. Schmidt lo que pretendía era justamente limitar las competencias de la Administración en lo que al *ius puniendi* se refería, de modo que la Administración se ocupara de las infracciones administrativas y se alejara de la posibilidad de castigar por la comisión de ilícitos de naturaleza penal[19].

Posteriormente, en la doctrina alemana se han formulado otras tesis de corte cualitativo[20]. Éstas básicamente vienen a justificar la necesaria distinción entre unos y otros ilícitos en tanto que al Derecho penal le corresponde la protección de los bienes jurídicos prepositivos y al Derecho administrativo sancionador la protección de las simples desobediencias del Derecho positivo. Según éstos, los ilícitos penales contienen antijuridicidad material y los administrativos sólo antijuridicidad formal. Otras consideran que las infracciones administrativas solo se entienden en el marco de la autotutela de la Administración,

---

[17] Mattes, H., *Problemas de Derecho penal administrativo. Historia y Derecho comparado*, cit., p. 230; Peris Riera, J. M., *El proceso despenalizador*, cit., p. 201; Cerezo Mir, J., "Límites entre el Derecho penal y el Derecho Administrativo", cit., pp. 163 y ss., quien además de exponer los argumentos de los defensores de las tesis cualitativas argumenta las razones por las que considera que no existen tales diferencias.

[18] Vid. Mattes, H., *Problemas de Derecho penal administrativo. Historia y Derecho comparado*, cit., pp. 231-232.

[19] Vid. Mattes, H., *Problemas de Derecho penal administrativo. Historia y Derecho comparado*, cit., p. 229.

[20] Sobre ello, vid. García Albero, R., "La relación entre ilícito penal e ilícito administrativo: texto y contexto de las teorías sobre la distinción de ilícitos", cit., pp. 336-338. y ss., quien además distingue entre distintas teorías cualitativas según su origen sea de corte penal o administrativo. También, Garberí Llobregat, J., *La aplicación de los derechos y garantías constitucionales a la potestad y al procedimiento administrativo sancionador*, Ed. Trivium, 1989, p. 64.

de modo que, a diferencia de la sanción penal, que tiende a castigar una infracción del orden social, la administrativa solo deriva de una infracción del orden propio de la Administración.

Sin embargo, donde el resurgimiento de las teorías cualitativas ha tenido un mayor impacto ha sido en Italia, a través principalmente de las tesis de la diferencia estructural de delitos de Bricola y Padovanni[21]. Según estos autores, el Derecho penal debe ocuparse de los valores constitucionales primarios, si bien es posible que este reconocimiento constitucional se encuentre implícitamente en ella[22]. Además, los ilícitos penales deben responder, en todo caso, al principio de ofensividad. La diferencia principal es, pues, la ofensividad constitucional[23]. Los ilícitos administrativos no tienen contenido efectivo de tutela; son conductas formalmente antijurídicas pero no materialmente contrarias al Ordenamiento jurídico[24]. Como puede comprobarse, estas nuevas teorías cualitativas no son más que herederas de aquellas teorías que lo que consideraban era que los bienes jurídicos individuales debían ser objeto del Derecho penal y debía dejarse para el Derecho administrativo sancionador la protección de los bienes jurídicos colectivos.

A nivel procedimental, la diferencia ontológica entre el Derecho penal y el Derecho administrativo sancionador se manifestaba en el órgano en que debía imponer la sanción. Según la tesis de Goldschmidt, el órgano responsable de imponer las penas administrativas eran los tribunales administrativos[25]. No fue hasta tiempos posteriores que, a través de Hofacker, se defendió la idea de que la competencia en

---

[21]   En España estas tesis han tenido un impacto limitado. Uno de sus máximos exponentes es Peris Riera, J. M., *El proceso despenalizador*, ob. cit.

[22]   Tal como explica García Albero, R., "La relación entre ilícito penal e ilícito administrativo: texto y contexto de las teorías sobre la distinción de ilícitos", cit., p. 367.

[23]   Peris Riera, J. M., *El proceso despenalizador*, cit., p. 212.

[24]   García Albero, R., "La relación entre ilícito penal e ilícito administrativo: texto y contexto de las teorías sobre la distinción de ilícitos", cit., p. 368.

[25]   Mattes, H., *Problemas de Derecho penal administrativo. Historia y Derecho comparado*, cit., p. 191.

materia administrativa sancionadora debía transferirse a los órganos de la Administración[26].

No obstante, a pesar de que la tesis planteada por Goldschmidt pudiera parecer que ello debía llevar a una absoluta separación entre ambos tipos de ilícitos, la realidad es que él mismo ya aceptó que no existe una diferencia absoluta, sino relativa, entre acciones antijurídicas y antiadministrativas. Esto es, que se produce un proceso de decantación entre unas y otras, en el sentido de que hay delitos jurídicos que acaban convirtiéndose en delitos administrativos, o al revés, según las diferentes concepciones locales y temporales de qué debe ser propio del Derecho penal y qué del Derecho administrativo sancionador[27].

Lo cierto es que las tesis que propugnan una diferenciación ontológica entre ambos derechos sancionatorios fueron rechazadas rápidamente por otros autores de la época, hasta el punto que por allí a los años 30 del siglo XX la mayoría de autores más significativos se habían pronunciado en contra de tales diferencias[28]. Entre las principales críticas a estas teorías está la que no existe tal diferencia conceptual entre Derecho penal y Derecho administrativo sancionador o que en realidad toda conducta que debe ser sancionada tiene que ser antijurídica, pues la Administración también pertenece al orden jurídico[29]. En este sentido, si las premisas de las que parte la teoría del Derecho penal administrativo no son ciertas conlleva que no pueda

---

[26] Mattes, H., *Problemas de Derecho penal administrativo. Historia y Derecho comparado*, cit., p. 196.

[27] Mattes, H., *Problemas de Derecho penal administrativo. Historia y Derecho comparado*, cit., pp. 190-191.

[28] Sobre ello, vid. Mattes, H., *Problemas de Derecho penal administrativo. Historia y Derecho comparado*, cit., pp. 202-203, quien indica que, entre otros autores, se manifestaron contrarios a la tesis de Goldschmidt, Frank, Beling, Binding, Merkel, Mayer o Trops. De las pocas obras de referencia que todavía lo defendían era la de Von Liszt.

[29] Sobre tales argumentos, y otros, contrarios a la teoría del Derecho penal administrativo, vid. Mattes, H., *Problemas de Derecho penal administrativo. Historia y Derecho comparado*, cit., pp. 204-207; también, García Albero, R., "La relación entre ilícito penal e ilícito administrativo: texto y contexto de las teorías sobre la distinción de ilícitos", cit., pp. 331-336; Garberí Llobregat, J., *La aplicación de los derechos y garantías constitucionales a la potestad y al procedimiento administrativo sancionador*, cit., p 65.

servir a su objetivo: establecer una delimitación entre infracciones penales e infracciones administrativas.

2.2. Las teorías cuantitativas.

Las diferentes críticas que se vertieron a las teorías cualitativas llevaron a muchos autores a defender que entre las sanciones penales y las administrativas no existen diferencias ontológicas[30]. Es decir, que entre unas y otras infracciones no puede decirse que detenten naturaleza distinta, pues ello supondría afirmar que hay conductas que en todo caso deberían ser un ilícito penal y otras un ilícito administrativo. Tal premisa, además, ha sido contestada por las distintas legislaciones de tiempos y lugares distintos[31]. La realidad histórico-legislativa española es buena prueba de ello. Tal como ha sido expuesto *supra,* esta era radicalmente distinta de la de otros países europeos, como Alemania o Italia donde la Administración no gozaba de un poder sancionador, sino que eran los tribunales los que defendían los intereses de la Administración. Justamente, en España la Administración ha poseído esta facultad desde siempre[32], lo que ha provocado que este trasvase de conductas que son tipificadas bien como ilícitos penales bien como administrativos ha sido todavía más evidente.

Los defensores de las teorías cuantitativas defienden que no es posible diferenciar con carácter apriorístico entre ilícitos penales y

---

[30]   Vid. García Albero, R., "La relación entre ilícito penal e ilícito administrativo: texto y contexto de las teorías sobre la distinción de ilícitos", cit., pp. 343-344, quien considera que justamente el hecho de llegar a la conclusión de que no existen diferencias cualitativas llevó a la doctrina a defender que las diferencias eran de corte cuantitativo. Es decir, que las teorías surgen sobre todo por el hecho de negar las diferencias cualitativas.

[31]   Un análisis de los ordenamientos jurídicos de distintos países en orden a comprobar la no validez de la teoría del Derecho penal administrativo puede encontrarse en Mattes, H., *Problemas de Derecho penal administrativo. Historia y Derecho comparado,* cit., pp. 239-496.

[32]   Sobre ello, vid. Parada Vázquez, R., "El poder sancionador de la Administración y la crisis del sistema judicial penal", cit., p. 66 y ss.; Martín-Retortillo Baquer, L., "Multas administrativas", cit., p. 17 y ss.; García Albero, R., "La relación entre ilícito penal e ilícito administrativo: texto y contexto de las teorías sobre la distinción de ilícitos", cit., p. 303 y ss.

administrativos[33]. Ambas infracciones tienen la misma naturaleza. Es decir, en ambos casos debemos hablar de ilícitos materiales, que contienen una antijuridicidad material, la comisión de los cuales supone el ataque a un bien jurídico[34]. En el caso español en no pocos casos debe aceptarse que puede presenciarse una antijuridicidad material en muchos ilícitos administrativos mayor de la que pueden contener algunos delitos de carácter leve. En caso contrario, de considerar que el ilícito administrativo es puramente formal, no tendría sentido establecer diferencias en las sanciones aplicables a las infracciones administrativas, pues en todo caso simplemente se estaría ante un caso

---

[33]   Partidarios, entre otros, de establecer una diferencia cuantitativa entre el Derecho penal y el Derecho administrativo, vid. Cerezo Mir, J., "Límites entre el Derecho penal y el Derecho Administrativo", cit. 169; Roxin, C., *Derecho penal. Parte general. tomo I*, Ed. Civitas, 1997, pp. 71-73, si bien añade que hay otros criterios de carácter cualitativo que también influyen en la decisión; Bustos Ramírez, J., *Manual de Derecho penal. Parte general*, Ed. Ariel, 1989, p. 67; Polaino Navarrete, M., *Estudios jurídicos sobre la reforma penal*, Universidad de Córdoba, 1987, p. 285 y ss.; Cobo del Rosal, M. / Boig Reig, F. J., "Garantías constitucionales del Derecho sancionador", en Cobo del Rosal, M. (Dir.), *Comentarios a la legislación penal*, Ed. EDERSA, 1982, p. 213; Silva Forné, D., "Posibles obstáculos para la aplicación de los principios penales al Derecho administrativo sancionador", en Díez Ripollés, J. L. (Coord.), *La ciencia del Derecho penal ante el nuevo siglo. Libro Homenaje al profesor doctor don José Cerezo Mir*, Ed. Tecnos, 2002, pp. 179-182; Parejo Alfonso, L., *Lecciones de Derecho administrativo*, Ed. Tirant lo Blanch, 2012, p. 737, quien, citando la jurisprudencia del Tribunal Supremo español, indica que no hay diferencias entre una y otra potestad sancionadora y que el único límite es en relación con la gravedad de las sanciones. No obstante, no está tan claro que su opinión coincida con la de la jurisprudencia, tal como deja entrever en Parejo Alfonso, L., "La deriva de las relaciones entre los Derechos Administrativos y Penal. Algunas reflexiones sobre la necesaria recuperación de su lógica sistémica", en López Menudo, F. (Coord.), *Derechos y garantías del ciudadano. Estudios en homenaje al Profesor Alfonso Pérez Moreno*, Ed. Iustel, 2011, p. 953, en nota a pie de página; Cobo del Rosal, M. / Vives Antón, T. S., *Derecho penal. Parte general*, Tomo I, Universidad de Velencia,1980, p. 54; también Tiedemann, según cita de Bajo Fernández, M., "Nuevas tendencias en la concepción sustancial del injusto penal. Recensión a Bernando Feijoo, *Normativización del Derecho penal y realidad social*, Bogotá (Universidad Externado de Colombia) 2007", *Indret*, 3/2008, p. 3.

[34]   Vid. Cerezo Mir, J., "Límites entre el Derecho penal y el Derecho Administrativo", cit., pp. 164-165, citando alguno de los principales autores críticos con las teorías sobre el Derecho penal administrativo, tales como Welzel o Mayer.

de desobediencia del Derecho[35]. También, las penas y las sanciones administrativas deben ser consideradas ontológicamente iguales, pues ambas se justifican por la infracción de una norma jurídica y su entidad dependerá de la gravedad – del mayor o menor injusto – de la misma[36].

En su lugar, sostienen que la diferencia entre uno y otro poder sancionador está en la cantidad de sanción que los infractores pueden recibir, de modo que los límites entre el Derecho penal y el Derecho administrativo sancionador se encuentran exclusivamente en la gravedad de la sanción que es posible imponer frente a los ilícitos administrativos[37]. En este sentido, Cerezo Mir establece que los límites de los ilícitos penales y los administrativos deben trazarse como consecuencia de la gravedad de la sanción que conlleva su comisión la cual se determinará, de acuerdo con el principio de proporcionalidad, por la gravedad de la infracción junto con consideraciones de política criminal[38].

Esta tesis implica que los ilícitos penales han de resultar, en todo caso, de mayor gravedad que las infracciones administrativas. Los defensores de estas tesis propugnan, por tanto, que no es posible que haya infracciones administrativas castigadas con sanciones de mayor gravedad que aquellas tipificadas como penales. En este sentido, algunos autores como Polaino defienden que aquellos ilícitos administrativos castigados con sanciones graves deben ser incriminados a través del Derecho penal[39].

---

[35]   Vid. Cerezo Mir, J., "Límites entre el Derecho penal y el Derecho Administrativo", cit., p. 165.

[36]   Vid. Cerezo Mir, J., "Límites entre el Derecho penal y el Derecho Administrativo", cit., pp. 165-166.

[37]   Tal como apunta Garberí Llobregat o Cerezo Mir, este criterio fue recogido por la legislación española, al establecerse en el art. 603.1 CP del 73 que las sanciones administrativas no podían ser de mayor gravedad que las penas, a pesar de que después, en la práctica, ello no fuera así. Vid. Garberí Llobregat, J., *La aplicación de los derechos y garantías constitucionales a la potestad y al procedimiento administrativo sancionador*, cit., pp. 65-66; Cerezo Mir, J., "Límites entre el Derecho penal y el Derecho Administrativo", cit., p. 167.

[38]   Vid. Vid. Cerezo Mir, J., "Límites entre el Derecho penal y el Derecho Administrativo", cit., p. 169.

[39]   Sobre ello, vid. Polaino Navarrete, M., "Derecho penal y ordenamiento sancionador", en Polaino Navarrete, M. (Comp.), *Estudios jurídicos sobre la reforma*

Estas tesis, al igual que las tesis cualitativas, han sido criticadas por una parte de la doctrina, puesto que no se ven verificadas por parte del Derecho positivo. De hecho, de defender tal postura significaría que ninguna infracción administrativa puede ser castigada con sanciones superiores a las previstas para los delitos en el CP español.

Desde un punto de vista normativo, la Constitución española defiende parcialmente tal postura al reservar, en su art. 25.3, las penas privativas de libertad para los delitos, de modo que no es posible imponer una sanción privativa de libertad por la comisión de una infracción administrativa. Sin embargo, ello no es óbice para reconocer que en Derecho penal las penas privativas de libertad no son las únicas posibles y que en muchos casos esta no es la que finalmente acaba cumpliéndose. Al igual que se le puede objetar a las teorías cualitativas, el problema de los límites entre una y otra rama del Derecho radica en los ilícitos que para el Derecho administrativo pueden ser considerados graves o muy graves y que para el Derecho penal tienen la consideración de leves o menos graves. No cabe duda que aquellos ilícitos que atenten contra un bien jurídico básico – como puede ser la vida – frente a los que se justifica el uso de sanciones de tal entidad que impliquen la privación de libertad deben ser castigados a través del Derecho penal. El problema se plantea respecto al resto de sanciones y, en particular, con la multa, puesto que está prevista para una gran cantidad de delitos y también de infracciones administrativas. En estos casos, afirmar que no debería haber ninguna infracción administrativa castigada con sanciones superiores a las penales, supone que no puede castigarse ningún ilícito administrativo con más de 20 euros; extensión mínima de las multas penales[40], lo que no tiene ningún sentido. Existen múltiples infracciones administrativas que son castigadas con sanciones de una gravedad infinitamente superior a las previstas en el Derecho penal español[41]. Al respecto, solo es necesario pensar en las multas millonarias que se imponen en el seno de la Co-

---

penal, Universidad de Córdoba, 1987, pp. 267-268.

[40]   Vid. art. 50 CP.

[41]   Tal situación podía verse ya a principios de los 80. En este sentido, Bajo Fernández, M. / Mendoza Buergo, B., "Hacia una Ley de contravenciones el modelo portugués", en Anuario de Derecho Penal y Ciencias Penales, Tomo 13, 1983, p. 568.

misión Nacional de los Mercados y la Competencia. Se podría decir que en realidad el *quantum* de dichas sanciones no es proporcionalmente tan elevado, pues estas son impuestas a Sociedades mercantiles y que, por tanto, en realidad no supone mayores gravámenes que las multas penales. No obstante, si tenemos en cuenta lo establecido en el art. 50.4 CP donde se establecen las posibles cuotas en caso de imposición de una pena de multa, resulta que en el mejor de los casos la pena de multa máxima que es posible imponer a una persona jurídica – en una física es mucho menor – es de 9 millones de euros. Tal cantidad es en realidad insignificante cuando se compara con las sanciones previstas en la Ley 15/2007, 3 de julio, de defensa de la competencia, que prevé, entre otras, sanciones de más de 10 millones de euros para casos de infracciones graves[42]. Lo mismo ocurre en materia medioambiental donde en el ámbito administrativo sancionador se prevén sanciones muy superiores a las multas penales. Pero incluso, sin necesidad de acudir a ámbitos tan específicos como la defensa de la competencia, la LO 4/2015, de 30 de marzo, de protección de la seguridad ciudadana castiga como infracción grave la negativa de identificarse a requerimiento de los agentes de la autoridad (art. 36.6) castigada con multa de 601 a 30 mil euros, cuantías estas que fácilmente pueden ser superiores a las penas previstas para la ya derogada falta de desobediencia leve regulada en el art. 634 CP anterior a la reforma de 2015 y que ha sido sustituida por la actual infracción administrativa regulada en la Ley de Seguridad Ciudadana. Así, con tan solo algunos ejemplos, debe llegarse a la conclusión que ni el actual Derecho positivo cumple con los postulados de las tesis que defienden que entre Derecho penal y Derecho administrativo sancionador no existen diferencias materiales y que lo que les diferencia es sólo la gravedad de las sanciones a imponer, ni que tal posición pueda llegar

---

[42]   Sanciones que además son en la práctica impuestas. En este sentido, vid. "La CNMC multa con 91 millones a CaixaBank, Santander, BBVA y Sabadell por concertar 'swaps'", en *Expansión*, 15 de febrero de 2018, la reciente multa de más de 90 millones de euros impuesta por la CNMC a diversas entidades bancarias. Disponible en: http://www.expansion.com/empresas/banca/2018/02/14/5a8 46f4246163f4d018b45c7.html [última consulta: 26/04/18].

a resultar positivada en un futuro no muy lejano, por lo que tampoco puede servir como tesis de *lege ferenda*[43].

2.3. *Teorías formales.*

La última de las tesis clásicas que se refieren a la posible identidad o no entre infracciones y sanciones penales y administrativas es aquella que surge del fracaso de las teorías cualitativas y las cuantitativas y, por tanto, de la imposibilidad de distinguir desde un punto de vista sustantivo entre delitos e infracciones administrativas[44]. Según sus autores la única diferencia entre uno y otro Derecho es formal[45] y se centra en que el órgano responsable de determinar si se ha cometido una infracción y de determinar la sanción a imponer es distinto. Así, aquellos ilícitos castigados con una sanción administrativa por parte de los órganos administrativos serán administrativos. Aquellos castigados con una pena y por parte de los tribunales serán entonces penales[46]. Estas tesis, pues, renuncian a la búsqueda de criterios de carácter

---

[43]   En este mismo sentido, vid. García Albero, R., "La relación entre ilícito penal e ilícito administrativo: texto y contexto de las teorías sobre la distinción de ilícitos", cit., p. 348. Contrariamente, vid. Cerezo Mir, J., "Límites entre el Derecho penal y el Derecho Administrativo", cit., pp. 169-170, quien defiende que tal límite cuantitativo entre Derecho penal y Derecho administrativo sancionador debe trazarse positivamente por el legislador, además de hacer una propuesta en dicho sentido.

[44]   Así lo afirma Cordero Quinzacara, E., "El Derecho administrativo sancionador y su relación con el Derecho penal", cit., p. 138.

[45]   Vid., entre otros, Bajo Fernández, M., "Nuevas tendencias en la concepción sustancial del injusto penal. Recensión a Bernando Feijoo", *Normativización del Derecho penal y realidad social*, Bogotá (Universidad Externado de Colombia) 2007", cit., p. 2, Martín-Retortillo Baquer, L., "Multas administrativas", *Revista de Administración pública*, núm. 79, 1977, pp. 13-14 y 16, quien como consecuencia defiende la aplicación de los principios penales al Derecho administrativo sancionador; Prieto Sanchís, L., "La jurisprudencia constitucional y el problema de las sanciones administrativas en el estado de Derecho", *Revista Española de Derecho Constitucional*, núm. 4, 1982, pp. 99 y ss.; Bajo Fernández, M. / Mendoza Buergo, B., "Hacia una Ley de contravenciones el modelo portugués", *Anuario de Derecho Penal y Ciencias Penales,* cit., pp. 569-570,; Garberí Llobregat, J., *La aplicación de los derechos y garantías constitucionales a la potestad y al procedimiento administrativo sancionador*, cit., p. 67.

[46]   Bajo Fernández, M. / Mendoza Buergo, B., "Hacia una Ley de contravenciones el modelo portugués", cit., p. 570.

material que expliquen el sentido de la existencia del Derecho penal y el Derecho administrativo sancionador y en su lugar consideran que la única diferencia que existe entre ambos es en relación con el órgano responsable de castigar. Según Merkl, defensor de las teorías formales, la determinación de si un ilícito debe configurarse como penal o administrativo es una decisión del legislador[47].

Tales teorías parten de la constatación de que el Derecho positivo ha contradicho las tesis cualitativas o cuantitativas sin que ello signifique que sus autores renuncien, de *lege ferenda*, a la necesidad de diferenciar materialmente unas y otras. En este sentido, Bajo Fernández y Mendoza Buergo, a pesar de defender que entre ilícitos y sanciones penales y administrativos no existen diferencias más que aquellas de carácter formal, puesto que así lo establece la ley, afirman que de *lege ferenda* sería bueno que el Derecho penal se ocupara de las sanciones más graves (criterio cuantitativo)[48].

Según Prieto Sanchís, otro defensor de las teorías formales, las tesis que defienden diferencias sustantivas entre el Derecho penal y el Derecho administrativo sancionador no son realmente doctrinas jurídicas y como mucho, pueden considerarse puntos de vista de política jurídica. Después de poner en duda algunos de los argumentos de los autores que defienden diferencias cualitativas o cuantitativas, el autor considera que éstas no pueden – a pesar de que lo pretenden – inferir diferencias sustantivas entre las infracciones penales y las administrativas de las decisiones del legislador[49]. La idea de que es posible trazar diferencias entre unas y otras infracciones es una idea quimérica. La única diferencia conceptual es respecto del órgano que debe juzgar dichos ilícitos, sin que por ello se renuncie al *quid* principal de la cuestión, que es el de aplicación de los principios y reglas aplicables al

---

[47]   Merkl, A., *Teoría general del Derecho administrativo*, Ed. Comares, 2004, p. 347 y ss.

[48]   Bajo Fernández, M. / Mendoza Buergo, B., "Hacia una Ley de contravenciones el modelo portugués", cit., pp. 570-571.

[49]   Vid. Prieto Sanchís, L., "La jurisprudencia constitucional y el problema de las sanciones administrativas en el estado de Derecho", cit., pp. 99 y ss.

Derecho penal también en el orden administrativo[50] y, con ello, equiparar las garantías de uno y otro derecho sancionador[51].

No obstante, defender actualmente una posición de distinción formal entre unos y otros ilícitos es seguramente estéril. Ello no ayuda a explicar si tiene sentido que existan ambos Derechos y, en caso positivo, por qué un ilícito debe ser considerado penal o administrativo y cuáles son estos límites. Su existencia, explica García Albero, tenía justificación en un momento histórico en el que quien debía ejercer la competencia de castigar unos u otros ilícitos no era tan clara como en la actualidad[52]. Hoy en día, al menos en España, decir que son penales los ilícitos castigados por tribunales penales y que son administrativos aquellos sancionados por los órganos y tribunales administrativos, es como no decir absolutamente nada. No ayuda a diferenciar entre unos y otros ilícitos[53].

---

[50]   Prieto Sanchís, L., "La jurisprudencia constitucional y el problema de las sanciones administrativas en el estado de Derecho", cit., pp. 102-103. A conclusiones similares llega Garberí Llobregat, al defender que los ilícitos y sanciones administrativas tienen en realidad naturaleza penal lo que lleva a defender la aplicación de los principios penales al ámbito de la potestad sancionadora. En este sentido, vid. Garberí Llobregat, J., *La aplicación de los derechos y garantías constitucionales a la potestad y al procedimiento administrativo sancionador*, cit., pp. 68-69.

[51]   Vid. Huergo Lora, A., *Las sanciones administrativas*, cit., p. 53; Prieto Sanchís, L., "La jurisprudencia constitucional y el problema de las sanciones administrativas en el estado de Derecho", cit., p. 120, donde apunta que con dicho incremento de garantías y la asimilación de los principios del Derecho penal al Derecho administrativo sancionador puede conseguirse una reducción de su uso por parte de la Administración. La verdad es que la idea tenía buenas intenciones, pero la realidad ha contradicho su tesis, hasta el punto que el Derecho administrativo sancionador no hace más que crecer. Basta advertirse también que el autor defendía la necesidad de incrementar la dotación de jueces para que ello pudiera ser una realidad (pp. 120-121), cosa que no se ha producido. En el mismo sentido, Bajo Fernández, M. / Mendoza Buergo, B., "Hacia una Ley de contravenciones el modelo portugués", en *Anuario de Derecho Penal y Ciencias Penales*, cit., p. 572 y ss.

[52]   García Albero, R., "La relación entre ilícito penal e ilícito administrativo: texto y contexto de las teorías sobre la distinción de ilícitos", cit., pp. 355-356.

[53]   Peris Riera, J. M., *El proceso despenalizador*, cit., p. 211.

2.4. Teorías mixtas.

A raíz de la falta de respuesta a la pregunta de si es posible delimitar un ámbito sancionador estrictamente penal y otro administrativo han surgido abundantes teorías que abogan por criterios diferenciadores distintos.

Estas nuevas teorías que se han formulado pueden dividirse en dos grandes grupos. Aquellas tesis que defienden que entre uno y otro ámbito las diferencias son mixtas, tanto cualitativas como cuantitativas, y otras que consideran que las diferencias son valorativas o de carácter normativo. En realidad, ambos tipos de teorías llegan a conclusiones similares y la diferencia está, sobre todo, en donde ponen el acento. Las tesis que podrían llamarse mixtas cuantitativo-cualitativas sostienen que el criterio a seguir para determinar si una infracción y su correspondiente sanción debe tener naturaleza penal o, por el contrario, debe ser administrativa debe basarse tanto en criterio cuantitativos como cualitativos. Así, podría decirse que las distintas teorías que han sido formuladas parten del binomio gravedad de la sanción, por un lado, e importancia del bien jurídico a proteger o antijuridicidad de la conducta, por otro lado. Las tesis valorativas, en cambio, consideran que el salto cualitativo entre infracciones o sanciones penales y administrativas se encuentra en los diferentes sistemas punitivos. Al final, por lo general, llegan a las mismas conclusiones: existen diferencias cuantitativas, pero también cualitativas.

Entre ellos, Cid Moliné, partiendo de la tesis diferenciadora de Bricola, propone que el criterio principal de distinción sea la gravedad de la pena, distinguiendo entre tres categorías de sanciones. El contenido de las diferentes categorías de sanciones debe diferenciarse en base a dos criterios: el bien jurídico afectado y las consecuencias indirectas en la vida de las personas. Las más graves, aquellas que privan o limitan gravemente la libertad, son aquellas materialmente penales. Posteriormente, deben situarse aquellas de gravedad media entre las que se encuentran aquellas que privan de una esfera concreta de la libertad. Finalmente, las sanciones de gravedad mínima son aquellas sanciones patrimoniales y aquellas otras que privan de forma secundaria la libertad de actuación[54]. Igualmente, según el autor, solo las sanciones materialmente penales suponen mayores consecuencias indirectas, de modo que se identifica al sujeto como desviado; las de gravedad inferior, en cambio, directamente no tienen efectos negativos. Partiendo de las tres categorías de sanciones expuestas, defiende que un adelantamiento de la barrera de protección penal hasta el punto de castigar con sanciones graves a aquellas conductas que suponen un riesgo genérico para los bienes jurídicos conlleva un coste muy alto para las personas condenadas que no compensa los posibles beneficios en términos preventivos. Las sanciones más graves, por tanto, deben reservarse para los casos en que la conducta que se pretende castigar suponga una ofensa para el bien jurídico (principio de ofensividad). Para evitar mayores costes negativos indirectos de los necesarios es necesario además que respecto a las sanciones más graves se respeten todas las garantías posibles. El criterio básico para asignar una sanción a una conducta debe ser el principio de *ultima ratio*, de modo que no deberá castigarse con sanciones graves una conducta si con una sanción de gravedad menor puede conseguirse un nivel de tutela similar. Para ello, sin embargo, es necesario compensar la menor gravedad de las sanciones con un incremento del grado de certeza lo que requiere el relajamiento de algunas de las garantías[55]. Finalmente, Cid considera que el órgano competente para conocer de los hechos antijurídicos deberá establecerse según la gravedad de las sanciones a imponer, así como de su capacidad para desempeñar con certeza su cometido.

Por su parte, Silva considera que la diferencia entre ilícitos penales y administrativos es valorativa y en la misma deben tenerse en cuenta tanto criterios cuantitativos como también cualitativos. No solo es importante la gravedad de la infracción, sino que también hay diferencias cualitativas. En este sentido, el autor considera, entre otros

---

[54]   Cid Moliné, J., "Garantías y sanciones (argumentos contra la tesis de la identidad de garantías entre las sanciones punitivas)", *Revista de Administración Pública*, núm. 140, 1996, p. 142 y ss.

[55]   Cid Moliné, J., "Garantías y sanciones (argumentos contra la tesis de la identidad de garantías entre las sanciones punitivas)", cit., pp. 148-149, quien considera que a pesar de que ello conlleva un mayor riesgo de que un sujeto sea condenado injustamente, los costes en realidad son muy inferiores a los de mantener un sistema de sanciones materialmente penales con las máximas garantías.

motivos, que el Derecho penal – sustantivo y procesal - está envuelto de ciertas garantías además de tener un efecto simbólico que no tiene el Derecho administrativo sancionador. En relación con la finalidad de uno y otro mecanismo sancionador defiende, al estilo de las tesis cualitativas clásicas, que el Derecho penal persigue proteger bienes concretos frente a ataques concretos que tienen lesividad propia. El Derecho administrativo sancionador, en cambio, persigue ordenar sectores de la actividad por lo que las infracciones administrativas no requieren de este elemento de lesividad o peligrosidad concreta[56]. No obstante, consciente de la realidad de las sociedades actuales donde la política criminal tiende a una expansión del ámbito del Derecho penal, el autor defiende que en este caso la mejor solución sería articular un doble sistema de garantías dentro del propio sistema de justicia penal[57]. En este sentido, propone, al igual que Cid, que el criterio de distinción sea el de gravedad de pena a través de la tesis del Derecho penal de dos velocidades según la cual aquellos delitos castigados con pena de prisión[58] deberían estar envueltos de todas las garantías penales. El Derecho penal de segunda velocidad se reservaría para aquellos delitos castigados con otras penas[59] y frente a ellos se permitiría una relajación de los principios y garantías propios del Derecho penal liberal[60].

---

[56]   Vid. Silva Sánchez, J. M., *La expansión del Derecho penal. Aspectos de la Política criminal en las sociedades postindustriales*, Ed. B de F, 2ª ed., 2006, pp. 136-137.

[57]   La tesis de Silva vendría a secundar las ideas de Cid Moliné, aunque solo se refiera a las materias objeto de protección por parte del Derecho penal. En un sentido muy similar se pronuncia Cordero Quinzacara, E., "El Derecho administrativo sancionador y su relación con el Derecho penal", *Revista de Derecho*, vol. XXV, 2012, pp. 131-157.

[58]   Según el autor, los delitos que debieran ser castigados con pena de prisión son aquellos que por sí solos lesionan o ponen en peligro real un bien individual y, eventualmente, aquellos que lesionen o pongan en peligro concreto un bien supraindividual. En este sentido, vid. Silva Sánchez, J. M., *La expansión del Derecho penal. Aspectos de la Política criminal en las sociedades postindustriales*, cit., p. 182.

[59]   Estos deberían ser los delitos de acumulación o de peligro abstracto. Silva Sánchez, J. M., *La expansión del Derecho penal. Aspectos de la Política criminal en las sociedades postindustriales*, cit., p. 182.

[60]   Sobre ello, vid. Silva Sánchez, J. M., *La expansión del Derecho penal. Aspectos de la Política criminal en las sociedades postindustriales*, cit., pp. 165-182.

En la misma línea que los autores previamente mencionados, Lascuraín defiende que en realidad las diferencias entre el Derecho penal y el Derecho administrativo sancionador son mixtas: cualitativas y cuantitativas. De hecho, el autor defiende que "las diferencias cuantitativas desembocan en diferencias cualitativas"[61]. Esto es, la gravedad de las sanciones comporta un modo distinto de sancionar. La diferencia, además, no solo reside en la riguridad en la aplicación de las garantías, sino también en el mensaje que transmite la sanción penal que no tiene la de carácter administrativo sancionador. La penal tiene un significado comunicativo que justifica que pueda haber sanciones formalmente penales más leves que las administrativas[62].

Desde un punto de vista un tanto distinto, Navarro Cardoso defiende que el criterio de distinción es puramente cuantitativo pero que ello depende, en realidad, de un juicio de valor de qué es más o menos grave, por lo que en realidad el problema de distinción es principalmente valorativo[63]. Debe, primero, determinarse el objeto de tutela del Derecho penal; qué bienes jurídicos tienen la categoría de bienes jurídico-penales. Para ello, el autor considera que los criterios a utilizar son dos: el de necesidad de protección jurídico-penal y el de merecimiento de protección jurídico-penal. Sobre el primer criterio, de necesidad de protección, se considera que será necesario cuando el recurso a otros ámbitos del Derecho sea ineficaz[64]. Por lo que se refiere al segundo criterio, al de merecimiento, Navarro Cardoso ar-

---

[61] Lascuraín Sánchez, J. A., "Por un Derecho penal sólo penal: Derecho penal, Derecho de medidas de seguridad y Derecho administrativo sancionador", en Jorge Barreiro, A. (Coord.), *Homenaje al profesor Dr. Gonzalo Rodríguez Mourullo*, Ed. Civitas, 2005, p. 619. En realidad, la tesis del autor se ajusta más a aquellas tesis que se autoproclaman valorativas, a pesar de sus palabras textuales.

[62] Vid., citando a Silva, Lascuraín Sánchez, J. A., "Por un Derecho penal sólo penal: Derecho penal, Derecho de medidas de seguridad y Derecho administrativo sancionador", cit., pp. 621-622.

[63] Navarro Cardoso, F., *Infracción administrativa y delito: límites a la intervención del Derecho penal*, Ed. Colex, 2001, pp. 88-89.

[64] En este punto, el autor subraya algo importante: la intervención del Derecho penal no debe considerarse necesaria cuando el problema se debe a un insuficiente desarrollo de las otras ramas del ordenamiento jurídico que podrían ser suficientes para solucionar el conflicto social. En este sentido, vid. Navarro Cardoso, F., *Infracción administrativa y delito: límites a la intervención del Derecho penal*, cit., p. 91.

gumenta que tienen tal consideración aquellos bienes jurídicos que "atañen directa e inmediatamente al contenido esencial de un derecho fundamental"[65]. No obstante, el merecimiento de pena no solo debe tener en cuenta que el bien jurídico sea digno de protección penal, sino también la gravedad del ataque a dicho bien jurídico; quien no excluye del objeto del Derecho penal los de peligro abstracto, al entender – en mi opinión acertadamente – que ello supone no reconocer la complejidad de la vida socio-económica y el desarrollo tecnológico. Según el autor, deberá reservarse su uso, sin embargo, en aquellos casos en que sea necesario para la protección del contenido esencial de un derecho fundamental[66].

Quintero, después de criticar las distintas teorías que justifican diferencias cualitativas o cuantitativas entre infracciones o entre sanciones penales y administrativas[67], considera que las diferencias entre uno y otro sistema son principalmente valorativas[68]; en el diferente sistema penal y administrativo sancionador que por su propia naturaleza provoca que las garantías, a pesar de estar presentes en ambos sistemas sancionadores, no operen ni del mismo modo, ni con la misma intensidad ni tampoco en los mismos momentos[69]. De hecho, tal como afirma el autor, la translación en su totalidad de las garantías

---

[65]   Vid. Navarro Cardoso, F., *Infracción administrativa y delito: límites a la intervención del Derecho penal*, cit., p. 95 y ss., quien defiende que el concepto de derecho fundamental debe entenderse en sentido amplio, de modo que dé cabida a los principios rectores de la política social y económica.

[66]   Sobre ello y con detalle acerca de los casos en que considera que es posible la tipificación de delitos mediante la técnica de los delitos de peligro abstracto, vid. Navarro Cardoso, F., *Infracción administrativa y delito: límites a la intervención del Derecho penal*, cit., pp. 108-114.

[67]   Quintero Olivares, G., "La autotutela, los límites al poder sancionador de la Administración Pública y los principios inspiradores del Derecho penal", *Revista de Administración Pública*, núm. 126, 1991, pp. 256-258.

[68]   Quintero Olivares, G., "La autotutela, los límites al poder sancionador de la Administración Pública y los principios inspiradores del Derecho penal", cit., p. 262.

[69]   Quintero Olivares, G., "La autotutela, los límites al poder sancionador de la Administración Pública y los principios inspiradores del Derecho penal", cit., p. 258, así como p. 262 y ss. donde analiza algunas de las principales cuestiones sobre las que considera que existen diferencias, tales como la parte subjetiva del tipo, autoría y participación, el error, la exclusiva protección de bienes jurídicos, el principio de *ultima ratio* o el *non bis in idem*.

y principios del Derecho penal al Derecho administrativo supondría que el Derecho administrativo sancionador se integraría en el Derecho penal y, por tanto, éste dejaría de tener sentido[70].

García Albero indica que los principales elementos que diferencian las sanciones penales de las administrativas son básicamente dos[71]. El primero es la inconvertibilidad de la multa administrativa en pena de prisión. El segundo relativo a las consecuencias que provoca la sanción penal más allá de su propio contenido.

Desde el Derecho administrativo, Nieto ha defendido la sustantividad propia del Derecho administrativo sancionador como materia propia del Derecho administrativo. Según el autor, los delitos y las infracciones administrativas forman parte del Derecho público sancionador por lo que los principios y garantías aplicables al Derecho administrativo sancionador no provienen del Derecho penal, sino de la propia Constitución española[72]. La tesis, sin embargo, no pretende explicar los límites de entre uno y otro Derecho sancionador. De hecho, el autor considera que la identidad de los ilícitos debe ser analizada desde una perspectiva normativa y que la búsqueda de límites dogmáticos por parte de la doctrina no tiene mucho sentido[73]. El legislador es quien los crea y quien determina su régimen jurídico. No obstante, lo que busca el autor, en el fondo, es justificar la necesidad de formular unos principios propios del Derecho administrativo sancionador independientes de los propios del Derecho penal.

Huergo, aunque afirma que la principal diferencia entre las sanciones penales y las de naturaleza administrativa es cuantitativa[74], apunta que las sanciones administrativas implican, además, un menor

---

[70] Quintero Olivares, G., "La autotutela, los límites al poder sancionador de la Administración Pública y los principios inspiradores del Derecho penal", cit., pp. 254 y 261.

[71] Vid. García Albero, R., "La relación entre ilícito penal e ilícito administrativo: texto y contexto de las teorías sobre la distinción de ilícitos", cit., pp. 358-359, quien en realidad apunta 3 diferencias, aunque una de ellas – la imposibilidad de sancionar penalmente a las personas jurídicas - ha sido ya desmentida con su previsión en el CP español a través de la reforma operada en 2010.

[72] En detalle, vid. Nieto García, A., *Derecho administrativo sancionador*, cit., pp. 145-153 y 567-568.

[73] Nieto García, A., *Derecho administrativo sancionador*, cit., p. 128.

[74] Huergo Lora, A., *Las sanciones administrativas*, cit., p. 143 y ss.

reproche social[75] y están envueltas de menores garantías que las de naturaleza penal[76], por lo que en realidad está más próximo a las tesis que consideran que las diferencias son mixtas o de carácter valorativo.

Cano Campos, después de descartar la posibilidad de centralizar todo el *ius puniendi* en el Derecho penal[77], defiende diferencias valorativas entre ambos sectores sancionadores en tanto la sanción es impuesta por órganos y a través de procedimientos distintos, la Administración no puede imponer sanciones privativas de libertad, tampoco genera antecedentes penales y se prevén distintas (o con un alcance distinto) garantías[78].

Por su parte, Rebollo o Torno Mas consideran que las diferencias son en relación con el órgano y la forma de ejercer la potestad; son, por tanto, valorativas[79]. No obstante, ello no es criterio para determinar la naturaleza dogmática de las infracciones, pues tal como el autor afirma la realidad es que muchas veces las razones de que una infracción tenga naturaleza penal o administrativa son puramente de carácter político[80].

---

[75]   Huergo Lora, A., *Las sanciones administrativas*, cit., pp. 162-173.

[76]   Huergo Lora, A., *Las sanciones administrativas*, cit., pp. 41-45 y 165.

[77]   Cano Campos, T., "El concepto de sanción y los límites entre el Derecho penal y el Derecho administrativo sancionador", Bauzá Martorell, F. J. (Dir.), *Derecho administrativo y Derecho penal: reconstrucción de los límites*, Ed. Bosch, 2017, p. 216, quien defiende que, entre otras razones, la complejidad de la actual sociedad impide que podamos plantearnos monopolizar el *ius puniendi* en los Jueces.

[78]   Cano Campos, T., "El concepto de sanción y los límites entre el Derecho penal y el Derecho administrativo sancionador", cit., p. 217 y ss.

[79]   Torno Mas, J., "¿Quién debe ejercer el «ius puniendi» del Estado?", *Revista Española de Derecho Administrativo*, núm. 161, 2014, p. 11; Rebollo Puig, M., "Derecho administrativo sancionador y Derecho penal", Rebollo Puig, M. et al., *Derecho Administrativo Sancionador*, Ed. Lex Nova, 2010, pp. 49 y ss., quien defiende que el legislador es soberano para determinar la naturaleza penal o administrativa de una infracción. Ello a pesar de que, por lo que parece, estaría a favor de limitar en gran medida el uso del Derecho administrativo sancionador en pro del Derecho penal, al defender (hecho que comparto) que el problema no es su naturaleza sino la cualidad y la cantidad de sanción.

[80]   Torno Mas, J., "¿Quién debe ejercer el «ius puniendi» del Estado?", cit., p. 12.

3. EL DERECHO POSITIVO ESPAÑOL Y LA POSICIÓN DE LA JURISPRUDENCIA.

Después de hacer un somero repaso a las teorías que se han formulado respecto a la identidad de infracciones y sanciones penales y administrativas, es el momento oportuno de hacer, aunque sea breve, una mención al Derecho positivo español y la interpretación que ha hecho de éste la jurisprudencia para conocer, si es el caso, la situación del Ordenamiento Jurídico español.

Tal como ha puesto de manifiesto la doctrina más autorizada, la historia del Derecho positivo español ha sido harto distinta a la realidad alemana o italiana[81]. La existencia del Derecho administrativo sancionador se remonta ya desde el momento de la implementación del Estado liberal y, con ello, de la propia existencia – al menos teóricamente – del principio de división de poderes[82]. En Alemania o Italia, en cambio, no fue hasta mitad del Siglo XX que se produjo una separación entre infracciones penales y administrativas. Hasta entonces todas ellas estaban reguladas en sus respectivos Códigos penales y las sanciones eran impuestas por parte de jueces penales[83]. Tal como

---

[81]   Huergo Lora, A., *Las sanciones administrativas*, cit., p. 53 y ss., donde además se hace un análisis de la regulación alemana, francesa e italiana; García Albero, R., "La relación entre ilícito penal e ilícito administrativo: texto y contexto de las teorías sobre la distinción de ilícitos", cit., pp. 324-326; Alarcón Sotomayor, L., "Los confines de las sanciones: en busca de la frontera entre Derecho penal y Derecho administrativo sancionador", cit., p. 144. También, sobre la legislación comparada en la segunda mitad del siglo pasado, vid. Parada Vázquez, R., "El poder sancionador de la Administración y la crisis del sistema judicial penal", cit., pp. 48-66.

[82]   En este sentido, García Albero, R., "La relación entre ilícito penal e ilícito administrativo: texto y contexto de las teorías sobre la distinción de ilícitos", cit., p. 306, citando una ponencia presentada por el Prof. Parada Vázquez. Sobre la evolución del Derecho administrativo sancionador en la historia española es de obligada lectura los análisis realizados por Parada Vázquez, R., "El poder sancionador de la Administración y la crisis del sistema judicial penal", cit., pp. 66-83; García Albero, R., "La relación entre ilícito penal e ilícito administrativo: texto y contexto de las teorías sobre la distinción de ilícitos", cit., pp. 303-324; Martín-Retortillo Baquer, L., "Multas administrativas", cit., p. 16 y ss.

[83]   Roxin, C., *Derecho penal. Parte general. Tomo I*, Ed. Civitas, Madrid, 2006, p. 53.

se ha indicado *supra*, el Derecho administrativo sancionador surge en estos países como solución a la hipertrofia del Derecho penal.

En España, pues, desde la aprobación de la Constitución de Cádiz han existido normas que han atribuido facultades sancionatorias a la Administración[84] las cuales han ido incrementándose paulatinamente y sin límite alguno hasta la Dictadura de Franco, momento de máximo apogeo de la potestad sancionadora de la Administración tanto desde un punto de vista cuantitativo como cualitativo[85]. El punto de inflexión se produce en los últimos años de dictadura y sobre todo con la aprobación de la Constitución del 78.

Con su aprobación, sin embargo, no se rompe con la potestad sancionadora de la Administración. De hecho, la Constitución en sus arts. 25.1 y 3 o 45.3 consagra ambos sistemas punitivos: el penal y el administrativo sancionador y la evolución legislativa ha confirmado el incremento del uso del Derecho administrativo sancionador en estos más de 40 años de democracia[86]. Es más, en la actual forma de Estado y ante los avances de la actual sociedad en la que vivimos se hace realmente difícil plantear la posibilidad de prescindir del Derecho administrativo sancionador, sino que la tendencia, si no se revierte la actual política legislativa, es que aumente su presencia[87].

---

[84]   Ello a pesar de que la Constitución de 1812 establece la competencia exclusiva para sancionar a los tribunales. Posteriormente, con la aprobación de la Constitución de 1845 se reconoce el poder sancionador de la Administración. En este sentido, vid. Parada Vázquez, R., "El poder sancionador de la Administración y la crisis del sistema judicial penal", cit., p. 68 y ss.

[85]   En este sentido, entre muchos otros, Parada Vázquez, R., "El poder sancionador de la Administración y la crisis del sistema judicial penal", cit., pp. 81-83; García Albero, R., "La relación entre ilícito penal e ilícito administrativo: texto y contexto de las teorías sobre la distinción de ilícitos", cit., p. 322-323.

[86]   En el sentido de considerar que la Constitución española avala el uso del Derecho administrativo sancionador, vid., entre otros, Prieto Sanchís, L., "La jurisprudencia constitucional y el problema de las sanciones administrativas en el estado de Derecho", cit., p. 105; Cano Campos, T., "El concepto de sanción y los límites entre el Derecho penal y el Derecho administrativo sancionador", cit., p. 216.

[87]   Esta es sin duda la predicción que se ha hecho de forma más generalizada por parte de la doctrina, aunque con enfoques y posiciones muy diferentes sobre su conveniencia, tanto penalista como administrativista. En este sentido, entre otros, Cano Campos, T., "El concepto de sanción y los límites entre el Derecho penal y el Derecho administrativo sancionador", cit., p. 216; García de Enterría,

Otra cosa bien distinta es la forma en que se aplica el Derecho administrativo sancionador. En este ámbito, la aprobación de la Constitución sí que supuso un cambio muy importante, al exigirse que los principios y garantías que hasta entonces eran de aplicación exclusiva al Derecho penal debían trasladarse al Derecho administrativo sancionador[88]. Así, a partir de la aprobación de la Constitución española se reconocen principios como el de legalidad, culpabilidad o el de *non bis in idem* o el disfrute de una serie de garantías hasta entonces exclusivas del Derecho penal. La jurisprudencia del Tribunal Constitucional ha venido a confirmar la aplicación de estos principios y garantías e incluso a ampliar aquello que el texto legal no terminó de dejar claro, como, por ejemplo, que las garantías establecidas en el art. 24 CE son de aplicación aunque con matices también en el ámbito del Derecho administrativo sancionador[89]. En el mismo sentido parece haberse pronunciado el Tribunal Europeo de Derecho Humanos, quien, en diversas ocasiones, ha afirmado la validez del Derecho administrativo sancionador como un sistema punitivo válido siempre que en él se apliquen las garantías previstas en el art. 6 del Convenio Europeo de Derechos Humanos. El caso más citado al respecto es la STEDH Öztürk c. Alemania, de 21 de febrero de 1984, en el que se alegó la aplicabilidad del derecho a ser asistido por un intérprete durante la celebración de un juicio contra este por haber provocado un accidente. El Estado alemán argumentó a su favor que la infracción objeto de discusión no tenía la naturaleza de pena por lo que no eran

---

E., "El problema jurídico de las sanciones administrativas", *Revista Española de Derecho Administrativo*, núm. 10, 1976, p. 405; Cerezo Mir, J., "Límites entre el Derecho penal y el Derecho administrativo, cit., p. 162; Bajo Fernández,M. / Mendoza Buergo, B., "Hacia una Ley de contravenciones el modelo portugués", cit., pp. 571-572. En el mismo sentido se ha pronunciado el Tribunal Constitucional español en su STC 77/1983 donde ha justificado la existencia del Derecho administrativo sancionador alegando que incluso un sistema en el que el sistema punitivo fuere exclusivamente judicial es inviable.

[88]   Este proceso de aproximación en lo que a la aplicación de principios y garantías se refiere se inició ya con anterioridad a la aprobación de la CE 78 con algunas sentencias del Tribunal Supremo español durante la década de los años 70. En este sentido, vid. SSTS 2 de marzo de 1972, 12 de diciembre de 1977 o 30 de octubre de 1978.

[89]   Al respecto, vid. SSTC 8 de junio de 1981, 1 de abril de 1982, 12 de mayo de 1982, 454/2003, 154/2004, 157/2007.

aplicables las garantías previstas en el Convenio. El Tribunal europeo falló a favor del demandante al considerar que indistintamente de la naturaleza formal de la infracción en el Derecho interno alemán, la infracción objeto de litigación es materialmente penal, según el concepto de Derecho penal propio del CEDH, y por tanto sujeta a las garantías del art. 6 del mencionado convenio.

Por lo que respecta estrictamente a los límites entre el Derecho penal y el Derecho administrativo sancionador, la Constitución española solo establece uno: la prohibición de que la Administración imponga sanciones que supongan directa o indirectamente privación de libertad (art. 25.3 CE). Este veto, sin embargo, no permite aclarar los límites entre ambos sistemas punitivos más que, en caso de que el legislador considere que una conducta debe ser castigada con una sanción privativa de libertad, esta deberá tipificarse mediante el uso del Derecho penal. Sin embargo, ello no significa que en caso de que el legislador considere que el merecimiento de pena de otra conducta deba ser el de una multa de 100 euros entonces deba hacerse uso del Derecho administrativo sancionador. El límite solo es de máximos y en relación con la gravedad de la sanción a imponer, pero nada se establece sobre hasta dónde puede llegar el uso del Derecho penal, como tampoco sobre si el resto de conductas que no deben ser castigadas con una pena privativa de libertad pueden ser castigadas mediante el uso del Derecho administrativo sancionador.

El Tribunal Constitucional tampoco ha limitado el uso[90] del Derecho administrativo sancionador[91]. De hecho, es reiterada la juris-

---

[90]   No debe confundirse el hecho de que el TC haya indicado que el Derecho administrativo sancionador deba rodearse de las mismas – aunque con matices – garantías que las que se prevén en el Derecho penal con el hecho de que haya o no límites entre uno y otro sistema. Personalmente, ambas son cuestiones distintas, por lo que no es posible inferir de la exigencia de equiparar garantías con que con ello se defienda que no existen diferencias ontológicas entre ambos sistemas punitivos, a diferencia de lo que parte de la doctrina ha entendido de la jurisprudencia del TC que, según ellos, defiende que existe identidad de naturaleza. Huergo Lora, A., *Las sanciones administrativas*, cit., pp. 28-29.

[91]   Prieto Sanchís, L., "La jurisprudencia constitucional y el problema de las sanciones administrativas en el estado de Derecho", cit., pp. 105-106; Bajo Fernández, M. / Mendoza Buergo, B., "Hacia una Ley de contravenciones el modelo portugués", cit., pp. 582-583, quienes, sin embargo, consideran que la actuación de la Administración solo se legitima cuando actúa con carácter subordinado y auxiliar

prudencia del TC en que se indica que "el control de la Ley penal que este Tribunal tiene asignado debe venir presidido, en todo caso, por el reconocimiento de la competencia exclusiva del legislador para el diseño de la política criminal, correspondiéndole un amplio margen de libertad dentro de los límites de la Constitución, para la configuración tanto de los bienes penalmente protegidos y los comportamiento penalmente represibles, como del tipo y la cuantía de las sanciones penales, o la proporción entre las conductas que pretende evitar y las penas con la que intenta conseguirlo"[92]. El legislador, por tanto, es (casi) libre de establecer que conductas deben ser castigadas como delitos y cuál es la pena que debe imponerse[93]. Además de la imposibilidad de imponer sanciones que priven de libertad, el TC (STC 53/1985, de 11 de abril) ha dicho que de la CE emana un deber positivo del Estado en "[...] establecer un sistema legal para la defensa de la vida que suponga la protección efectiva de la misma y que, dado el carácter fundamental de la vida, incluya también, como última garantía, las normas penales". En esta misma línea se ha pronunciado posteriormente el Tribunal al indicar que frente a determinados derechos fundamentales es necesario que, como última garantía, el Derecho penal tenga un papel en su protección[94]. El TC, sin embargo, nunca

---

a la judicial; Alarcón Sotomayor, L., "Los confines de las sanciones: en busca de la frontera entre Derecho penal y Derecho administrativo sancionador", cit., p. 149; Quintero Olivares, G. (dir.), *Derecho penal constitucional*, Ed. Aranzadi, 2015, pp. 33-34.

[92]   Cita textual del FJ 2 de la STC 160/2012, de 20 de septiembre, si bien puede encontrarse el mismo párrafo en otras tantas sentencias del mismo tribunal. Entre otras, SSTC 55/1996 (FJ 9), de 28 de marzo, 163/1999 (FJ 23), de 20 de julio o 127/2009 (FJ 8), de 26 de mayo.

[93]   Cano Campos, T., "El concepto de sanción y los límites entre el Derecho penal y el Derecho administrativo sancionador", cit., p. 222; Rebollo Puig, M., "Derecho administrativo sancionador y Derecho penal", cit., pp. 53-54, quien además cita una STSJ de Castilla-La Mancha de 2 de noviembre de 1999 en la que se indica que la CE no dice nada sobre qué debe ser castigado a través del Derecho penal o qué a través del Derecho administrativo sancionador.

[94]   En este sentido, vid. SSTC 212/1996, de 19 de diciembre, y 116/1999, de 17 de junio. Se posicionan también en este sentido Alarcón Sotomayor, L., "Los confines de las sanciones: en busca de la frontera entre Derecho penal y Derecho administrativo sancionador", cit., pp. 149-150; Domenech Pascual, G., "Los derechos fundamentales a la protección penal", *Revista Española de Derecho Constitucional*, núm. 78, 2006, pp. 360-361.

se ha pronunciado sobre la desproporcionalidad de que una conducta sea castigada a través del uso del Derecho penal. Luego, de la jurisprudencia del propio TC, se infiere que el legislador español no puede renunciar a utilizar el Derecho penal pero en cambio podría teóricamente – y a pesar de que ya se ha indicado *supra* de que hay razones prejurídicas para no considerar ello como una opción real – hacerlo del Derecho administrativo[95].

El Tribunal Supremo, por su parte, ha ido fluctuando su postura según el momento político en que nos encontrábamos. Así, durante la época franquista defendió que las infracciones penales y las administrativas eran algo completamente distinto. Posteriormente, durante los años 80 se cambia el criterio hasta el punto de defender la unidad del *ius puniendi* del Estado y a negar las diferencias ontológicas entre uno y otro sistema[96].

Tampoco el TEDH ha ido más allá[97]. Para este, lo importante, tal como se ha dicho *supra*, es que el uso del Derecho administrativo no acabe comportando una pérdida de garantías. Con ello en el fondo se puede pensar que se defiende que entre uno y otro sistema no existe diferencias cualitativas, pero no por ello puede inferirse que el Tribunal considere que las mismas sean de carácter cuantitativo. De hecho, en el famoso caso Öztürk indicó que no hay ningún motivo para suponer que una infracción penal, a tenor del CEDH, implique necesariamente determinada gravedad[98], siendo lo importante la ausencia de discriminación estructural entre ambos tipos de ilícitos. El TEDH, por tanto, considera que el legislador nacional es libre para establecer una infracción como penal o administrativa siempre que, sea cual sea

---

[95]   Sobre ello, y planteándoselo como una posibilidad real frente a un ámbito amplio de la actual actuación administrativa, Cano Campos, T., "El concepto de sanción y los límites entre el Derecho penal y el Derecho administrativo sancionador", cit., p. 224.

[96]   Sobre ello, vid. Nieto García, A., *Derecho administrativo sancionador*, cit., pp. 127-128, donde se explica esta evolución de la jurisprudencia del TS.

[97]   Cfr. Domenech Pascual, G., "Los derechos fundamentales a la protección penal", cit., pp. 343-345, quien menciona algunas resoluciones del TEDH en las que se exige a los Estados miembro a que tipifiquen determinadas conductas como penales.

[98]   Vid. STEDH Öztürk c. Alemania, par. 57.

su naturaleza, se respeten los derechos y garantías establecidos en el CEDH[99].

Seguramente, en la actualidad el mayor límite al que podemos referirnos es el derivado de las exigencias de la Unión Europea. En este sentido, a raíz de la aprobación del Tratado de Lisboa[100] por el que se modificó el Tratado de Funcionamiento de la Unión Europea se permite la aprobación de Directivas europeas el objeto de las cuales sea la tipificación de infracciones penales y el establecimiento de las penas mínimas a imponer frente la comisión de dichos delitos[101]. Justamente, a través del Derecho derivado de la UE es la forma en que claramente se establecen unos mayores límites al modo en que debe sancionarse una conducta, de modo que, si se aprueba una Directiva en la que se establece que una determinada conducta debe ser tipificada a través del Derecho penal, luego los Estados miembros no tienen capacidad para tomar otra decisión que no sea la de castigar penalmente esa conducta. No obstante, en este caso los límites no tienen base alguna en relación con la naturaleza ontológica de aquella determinada infracción, sino a otros criterios de política legislativa.

4. TOMA DE POSICIÓN: LA IMPOSIBILIDAD DE ESTABLECER LÍMITES DOGMÁTICOS.

Tal como se ha apuntado en las páginas anteriores parece que ninguna de las teorías clásicas ha sido capaz de resolver el crucigrama

---

[99]   Así lo entienden, entre muchos otros, Nieto García, A., *Derecho administrativo sancionador*, cit., p. 130; Garberí Llobregat, J., *La aplicación de los derechos y garantías constitucionales a la potestad y al procedimiento administrativo sancionador*, cit., p.66; Navarro Cardoso, F., *Infracción administrativa y delito: límites a la intervención del Derecho penal*, cit., pp. 79-80; Huergo Lora, A., *Las sanciones administrativas*, cit., pp. 39-40; Rando Casermeiro, P., *La distinción entre el Derecho penal y el Derecho administrativo sancionador. Un análisis de política jurídica*, cit., pp. 86-87.

[100]   De hecho, ya con anterioridad la UE tenía competencias en materia penal a través de la aprobación de Decisiones marco, tal como así puso de manifiesto la STUE Comisión c. Consejo, de 13 de septiembre de 2005.

[101]   Vid. art. 83 TFUE.

sobre la naturaleza de las infracciones y las sanciones penales y administrativas[102].

Las teorías cualitativas basadas en la tesis de que el Derecho administrativo sancionador no protege bienes jurídicos, sino que únicamente intereses de la propia Administración parten de un concepto de bien jurídico desfasado y enraizado en la idea de que el Estado solo debe velar por la protección de los intereses individuales. En la actualidad, sin embargo, la realidad social, económica y tecnológica ha desmentido tal posibilidad. Nadie puede dudar de la importancia de algunos bienes jurídicos colectivos y de la necesidad de que estos sean protegidos mediante el uso del Derecho penal. Piénsese en el medio ambiente o la Hacienda Pública. Lo mismo puede decirse sobre las tesis cualitativas que consideran que la diferencia se encuentra en la técnica legislativa utilizada para la tipificación de las infracciones en el sentido de que los delitos de lesión se reservarían para el Derecho penal y los de peligro, en cambio, para el Derecho administrativo sancionador, pues esta, en el fondo, se deriva de las tesis que defienden que el Derecho penal debe tutelar únicamente bienes jurídicos individuales. Además, en todos los casos puede – o al menos debería – apreciarse un determinado grado de injusto material en las infracciones. Cuestión distinta es que en las penales pueda vislumbrarse por lo general un mayor injusto. De hecho, la falta de injusto material de una infracción – tenga la etiqueta que tenga – afecta negativamente al efecto preventivo de la respectiva sanción[103], por lo que no es recomendable que se utilice el Derecho punitivo del Estado para con finalidades distintas a la de sancionar conductas materialmente injustas.

---

[102]   A parte de los argumentos que más arriba o seguidamente se presentarán, son muchísimos más los que se han vertido contra este tipo de teorías. Sobre ello, vid., entre muchos otros, Navarro Cardoso, F., *Infracción administrativa y delito: límites a la intervención del Derecho penal*, cit., p. 74 y ss.; García Albero, R., "La relación entre ilícito penal e ilícito administrativo: texto y contexto de las teorías sobre la distinción de ilícitos", cit. *passim*; Cerezo Mir, J., "Límites entre el Derecho penal y el Derecho administrativo, cit., p. 164 y ss.; Alarcón Sotomayor, L., "Los confines de las sanciones: en busca de la frontera entre Derecho penal y Derecho administrativo sancionador", cit., p. 140 y ss.; Cordero Quinzacara, E., "El Derecho administrativo sancionador y su relación con el Derecho penal", cit., p. 140.

[103]   Vid., entre otros, Tyler, T. *Why People Obey the Law*, Ed. Princeton University Press, 2006.

Es más, el Estado dispone de otros mecanismos para hacer frente a las meras infracciones formales de normas.

Tampoco es cierto otro argumento utilizado por los defensores de las diferencias cualitativas entre infracciones penales y administrativa relativo a que la Administración únicamente persiga sus propios fines, pues la propia Constitución española establece en su art. 103.1 que la Administración pública sirve los intereses generales.

Respecto a las sanciones tampoco es cierto que la finalidad entre unas y otras sean distintas. Tanto unas como otras cumplen en realidad finalidades tanto de carácter preventivo como retributivo, aunque ciertamente la intensidad en su operatividad en uno u otro caso es también distinta. De hecho, tanto el Tribunal Constitucional como la jurisdicción ordinaria han indicado de modo reiterado que las sanciones administrativas responden a finalidad "propiamente represiva, retributiva o de castigo"[104]. La diferencia, sin embargo, no se debe tanto a que sea calificada como penal o administrativa, sino a otras razones tal como el tipo de sanción o el efecto simbólico del procedimiento penal. Esto es, entre otros, a la llamada "pena de banquillo" o a las consecuencias que derivan de tener antecedentes penales[105]. El contenido material de las sanciones, como se argumentará *infra*, puede ser idéntico o incluso en ocasiones mayor en el ámbito del Derecho administrativo sancionador.

Las teorías cuantitativas, por su parte, no han salido mucho mejor paradas de las críticas. El principal reproche, transversal a todas estas teorías, es que es que la tesis sobre la que parten es contradicha por parte del Derecho positivo. El Derecho administrativo sancionador no es un Derecho penal en pequeño, tal como pretenden hacer ver las tesis cuantitativas. No solo existen diferencias cuantitativas, pero

---

[104]   Vid. STC 239/1988. Vid., también, el análisis en profundidad que se realiza en Casino Rubio, M., *El concepto constitucional de sanción administrativa*, Ed. CEPC, 2018, especialmente en las pp. 69 y ss.

[105]   Vid., por ejemplo, Rovira i Sopeña, M., *Antecedentes penales y mercado laboral*, Tesis doctoral defendida en la Universitat Pompeu Fabra, 2016, quien analiza los problemas que generan los antecedentes penales en la posibilidad de obtener un trabajo una vez cumplida la pena. O, por ejemplo, Larrauri, E., "Antecedentes penales y expulsión de personas inmigrantes", *Indret*, 2/2016, sobre los efectos en las personas que no tienen la nacionalidad española.

es que, tal como se ha indicado *supra*, en muchos casos ni siquiera existen estas. Aunque, en opinión de quien escribe estas palabras, las teorías cuantitativas se acercan más a la realidad legislativa de lo que lo hacen las teorías cualitativas, lo cierto es que no tienen en cuenta otras cuestiones que influyen en la decisión de calificar una infracción en formalmente penal o administrativa.

Finalmente, la última de las teorías clásicas, la teoría formal, al defender que en realidad es simplemente una cuestión de política-jurídica y que la única diferencia real entre Derecho penal y Derecho administrativo sancionador radica en el órgano responsable de enjuiciar los ilícitos, es incluso peligrosa, pues, además de no ayudar a diferenciar entre unos y otros ilícitos, deja en exclusiva voluntad del legislador la decisión de si una conducta debe ser castigada a través de uno u otro sistema punitivo[106]. De hecho, renuncia a buscar diferencias entre infracciones y sanciones y su principal pretensión parece ser la de clarificar el órgano responsable de enjuiciar y, en su caso, sancionar las infracciones penales y las administrativas.

En este sentido, Lascuraín afirma que las tesis cuantitativas y cualitativas básicamente generan confusión[107]. En verdad si se analizan las diferentes tesis expuestas más arriba podrá verse que implícitamente las teorías cualitativas aceptan también criterios cuantitativos y que las cuantitativas acaban reconociendo que existen diferencias cualitativas. Así, las teorías cualitativas en realidad se basan en la idea de gravedad de la infracción para justificar la imposición de una mayor o menor sanción y, en base a ello, optar por el uso del Derecho penal o del Derecho administrativo sancionador. Al final, para

---

[106]   A unas conclusiones similares llega también Huergo Lora, A., *Las sanciones administrativas*, cit., p. 32, quien pone al lector en alerta del riesgo de las tesis que propugnan una identidad de naturaleza entre los ilícitos penales y los administrativos. Según el autor, a pesar de que en principio estas tesis son de corte garantista, pueden llegar a conducir a resultados contradictorios, pues se deja en manos del legislador la decisión de la etiqueta que deben tener.

[107]   Sobre ello, vid. Lascuraín Sánchez, J. A., "Por un Derecho penal sólo penal: Derecho penal, Derecho de medidas de seguridad y Derecho administrativo sancionador", cit., p. 619. También Rando Casermeiro, P., *La distinción entre el Derecho penal y el Derecho administrativo sancionador. Un análisis de política jurídica*, cit., pp. 52-55, con cita a Hegel, quien considera que lo cualitativo y lo cuantitativo van, en realidad, juntos.

determinar si una conducta atenta contra un bien jurídico o un bien administrativo se parte de la gravedad de la conducta y por tanto también de la gravedad de la sanción que debe merecer la misma. Las teorías cuantitativas, por su parte, también acaban reconociendo que no sólo la gravedad de la sanción es el criterio para determinar si una infracción debe ser considerada de naturaleza penal o administrativa. No obstante, con carácter previo debe ser necesario valorar la gravedad de la infracción a fin de determinar si a ella le corresponde una u otra cantidad de pena. Esta valoración puede entonces beber de algunos de los razonamientos expuestos por los defensores de las tesis cualitativas[108]. Es decir, puede derivar del hecho de que la conducta suponga una lesión o solo una puesta en peligro de un bien jurídico, de la afectación a un interés individual o colectivo, etc. Además, a la hora de determinar si una conducta debe castigarse por vía penal o administrativa hay otros criterios distintos a la gravedad; muchos de los cuales están relacionados con cuestiones de política criminal o política legislativa en general, tal como ha sido advertido por parte de la doctrina[109]. Así, entre las distintas razones que justifican que una conducta sea castigada por una u otra vía se han sostenido motivos de eficacia, utilidad, celeridad, falta de recursos o incluso conveniencia política. De hecho, en muchos casos en que la gravedad de las infracciones y sanciones a imponer es similar, la decisión de si esa conducta debe ser considerada como ilícito penal o administrativo justamente no puede determinarse por el criterio de la gravedad de la sanción, pues esta es la misma o muy similar.

---

[108]   De hecho, los defensores de las tesis cuantitativas no explican cómo debe determinarse que una infracción deba merecer una u otra cantidad de sanción, sino que una vez determinada la sanción por parte del legislador establecen si esa debe tener la consideración de penal o administrativa.

[109]   Vid., entre muchos otros, García Albero, R., "La relación entre ilícito penal e ilícito administrativo: texto y contexto de las teorías sobre la distinción de ilícitos", cit., p. 372 y ss.; Torno Mas, J., "¿Quién debe ejercer el «ius puniendi» del Estado?", cit., p. 12; Bajo Fernández,M. / Mendoza Buergo, B., "Hacia una Ley de contravenciones el modelo portugués", cit., p. 571; Nieto García, A., *Derecho administrativo sancionador*, cit., pp. 53-54; Parada Vázquez, R., "El poder sancionador de la Administración y la crisis del sistema judicial penal", cit., p. 83 y ss.

Aunque las tesis que puedan parecer más convincentes sean aquellas de corte valorativo, en realidad, estas diferencias no derivan de un concepto ontológico del ilícito penal y administrativo sancionador, sino porqué así se establece por el Derecho positivo español. La propia Constitución española indica la prohibición de que la Administración pública imponga penas privativas de libertad a la vez que permite que pueda imponer sanciones de naturaleza administrativa[110]. No es el caso, en cambio, de otras legislaciones como la inglesa, danesa o sueca, por poner algunos ejemplos.

Ahora bien, la regulación española no impide que se tipifiquen infracciones de igual o similar gravedad, o incluso idénticas, por parte del Derecho penal y el Derecho administrativo sancionador. De hecho, algunas sanciones como la multa, las inhabilitaciones o algunas prohibiciones son iguales en ambos sistemas punitivos. Otra cuestión distinta es que las sanciones, una vez calificadas como de naturaleza penal o administrativa, acaben teniendo efectos o consecuencias distintas. La diferencia se debe más por su calificación como penal o administrativa que por la sanción en sí misma. Así, una vez calificada la sanción es cuando puede decirse que la misma sanción, pongamos por ejemplo una multa de 2000 euros, tiene una mayor repercusión negativa para el sujeto sancionado en la vía penal frente a la administrativa. Ello se debe a que el sistema de justicia penal permite sustituir la pena de multa por una pena privativa de libertad (art. 53 CP) y por el hecho de que la misma se enmarca dentro de un proceso penal de mayor complejidad y formalidades que un simple procedimiento administrativo el cual, en reiteradas ocasiones, termina con el pronto pago por parte del sancionado en el momento de la notificación del expediente administrativo sancionador. Es decir, la distinción de la multa se produce una vez esta ha sido calificada en el seno del sistema punitivo penal o administrativo, pero no antes. Las diferencias, pues, no son entre los ilícitos o las sanciones sino entre los sistemas.

Así, hasta el día de hoy no ha sido posible encontrar una tesis que sea capaz de diferenciar ilícitos y sanciones penales y administrativos en base a su naturaleza. A lo sumo estas pueden servir como criterios de *lege ferenda* a fin de establecer criterios orientativos para el

---

[110]   Vid. los arts. 25.3 y 45.3 CE.

legislador a la hora de decidir si una conducta debe ser castigada y, en caso afirmativo, si debe hacerse a través del Derecho penal o del Derecho administrativo sancionador[111]. Siendo este el caso, el problema que se presenta entonces es que todas estas teorías son en el fondo teorías de política criminal basadas, como es evidente, en una idea previa de qué debe ser tutelado por el Derecho penal. Esto es, estas teorías parten de un concepto de Derecho penal y en base a éste desarrollan una teoría sobre la que se define qué es lo que debe ser considerado de naturaleza penal y castigado conforme a dicho concepto. El mérito de estas teorías es importante, sobre todo si con ello se quiere ordenar el *ius puniendi* del Estado, pero no hasta el punto de pretender explicar qué debe o no debe ser regulado mediante el Derecho penal o el Derecho administrativo sancionador.

En este sentido, si se tiene en cuenta lo que se ha explicado *supra* y lo que la doctrina ha indicado sobre las distintas teorías – cualitativas y cuantitativas –, se verá que justamente todas ellas fueron formuladas con posterioridad a la aparición del Derecho administrativo sancionador. Esto es, las primeras, las teorías cualitativas, justamente nacieron con el objetivo de justificar la aparición de un nuevo poder de castigar, el Derecho administrativo sancionador, y de ordenar su regulación. Las segundas, las cuantitativas y también las formales, aparecen en un momento posterior en el que el poder de la Administración ya no se discute y en cambio, lo que se pretende, sobre todo, es de dotar de mayores garantías al sistema sancionador administrativo.

Lo que se debería entonces es, teniendo en cuenta el porqué de la aparición del Derecho administrativo sancionador, analizar si actualmente continúa siendo necesario el uso del mismo y, en su caso, cuál debería ser la relación entre éste y el Derecho penal. Para ello, no obstante, los criterios a utilizar no deberían basarse tanto en ideas relativas a la distinta naturaleza entre uno y otro sistema punitivo, sino sobre las consecuencias que tiene el uso de uno u otro. Esto es, el criterio realmente importante es el de las consecuencias del uso de uno u otro sistema y de la imposición de uno u otro tipo de sanción

---

[111]   En este mismo sentido se pronuncia García Albero, R., "La relación entre ilícito penal e ilícito administrativo: texto y contexto de las teorías sobre la distinción de ilícitos", cit., pp. 373-374.

– penal o administrativa. Lo que debe valorarse, por tanto, para determinar si una conducta debe ser castigada a través del Derecho penal o del Derecho administrativo sancionador es principalmente lo que ello conlleva[112].

---

[112]   En un sentido similar, entre otros, vid. Rando Casermeiro, P., *La distinción entre el Derecho penal y el Derecho administrativo sancionador. Un análisis de política jurídica*, cit., pp. 59-60.

Capítulo II:

REPLANTEAMIENTO DE LA CUESTIÓN: LA DEFENSA DE LA *PRIMA RATIO* DEL DERECHO PENAL

1. INTRODUCCIÓN.

Una vez expuestas las principales teorías formuladas con las que se ha pretendido explicar el establecimiento de unos límites prejurídicos entre los ilícitos o las sanciones penales y administrativo-sancionadores y comprobar que ninguna de ellas ha sido capaz de delimitar ambos sistemas de un modo claro, es necesario replantear el punto de partida.

En el último apartado del capítulo anterior se ha puesto de relieve que las teorías que pretenden encontrar razones de carácter ontológico para determinar qué debía ser tipificado y castigado a través del Derecho penal y qué a través del Derecho administrativo sancionador parten de un fundamento inexacto. En verdad, todas ellas surgieron con posterioridad a la existencia de los dos sistemas punitivos y no para explicar su existencia, sino justamente para justificarla. De todo ello, se ha llegado a unas conclusiones provisionales: debemos replantearnos si actualmente continúa teniendo sentido la existencia de ambos sistemas punitivos. Si es el caso, entonces, deberá analizarse si además es necesario que se establezcan unos criterios que sirvan para delimitarlos.

2. LA NECESIDAD DE LA EXISTENCIA DEL DERECHO ADMINISTRATIVO SANCIONADOR.

Tal como se ha puesto de manifiesto *supra*, el Derecho administrativo sancionador existe en España desde el momento mismo en que se cristaliza el Estado de Derecho, luego los Tribunales penales españoles nunca han sido los encargados de enjuiciar y castigar todos los ilícitos, sino que esta competencia ha sido compartida con la Administración. De hecho, se ha dicho que en España no ha existido nunca un problema de hipertrofia del Derecho penal, sino del Derecho administrativo sancionador[113]. Actualmente, además, la propia Constitución española del 78 prevé su existencia y equipara – aunque con matices, según la doctrina del Tribunal Constitucional – las garantías propias del Derecho penal al Derecho administrativo sancionador.

Sin embargo, que el Derecho administrativo sancionador haya existido desde los inicios del Estado de Derecho y que la actual Constitución consagre tal potestad a la Administración no significa *per se* que su existencia quede justificada. Tradicionalmente, tanto desde la doctrina como la jurisprudencia del TC se ha señalado que el Derecho administrativo sancionador surge como consecuencia de la inoperatividad y la falta de eficiencia del Derecho penal[114].

Junto al argumento más habitual relativo a la mayor eficiencia del Derecho administrativo sancionador respecto del Derecho penal, existen otros motivos que llevaron y continúan llevando a los poderes públicos a apostar por el uso del Derecho administrativo sancionador, aunque entre ellos los más significativos son los dos siguientes. El

---

[113]   Parada Vázquez, R., "El poder sancionador de la Administración y la crisis del sistema judicial penal", cit., p. 41-42 y 66; Bajo Fernández y Mendoza, p. 571. Sobre el proceso a nivel comparado, vid. Bricola, p. 27 y ss., quien explica como con el Estado liberal los tribunales de justicia asumieron todo el *ius puniendi* del Estado y que a partir de medianos del S. XX se empezó a producir el proceso contrario.

[114]   Sobre ello, aunque en algunos casos contrarios a la idea de mayor eficacia del Derecho administrativo sancionador, vid. Parada Vázquez, R., "El poder sancionador de la Administración y la crisis del sistema judicial penal", cit., p. 83 y ss.; Bajo Fernández, M. / Mendoza Buergo, B., "Hacia una Ley de contravenciones el modelo portugués", cit., p. 571; Cordero Quinzacara, E., "El Derecho administrativo sancionador y su relación con el Derecho penal", cit., p. 133; Lascuraín Sánchez, J. A., "Por un Derecho penal sólo penal: Derecho penal, Derecho de medidas de seguridad y Derecho administrativo sancionador", cit., p. 613; Navarro Cardoso, F., *Infracción administrativa y delito: límites a la intervención del Derecho penal*, cit., p. 80; Nieto García, A., *Derecho administrativo sancionador*, cit., pp. 53-54; Peris Riera, J. M., *El proceso despenalizador*, cit., pp. 38-39. Sobre la jurisprudencia del TC, vid., a modo de ejemplo, la STC 77/1983.

primero es de carácter político. Esto es, por la propia conveniencia de los poderes públicos de disponer de un poder sancionador propio[115]. El segundo es congénito al establecimiento del Estado Social[116]. Así, el establecimiento del Estado social ha desencadenado un incremento de las materias objeto de regulación por parte de las Administraciones públicas españolas lo que a su vez ha comportado un incremento de los supuestos en que es necesario conminar con la imposición de una sanción los casos de incumplimiento de la normativa administrativa. Este último, además, está íntimamente relacionado con la necesidad de buscar soluciones más ágiles que el uso del Derecho penal que permitan evitar un hipotético colapso del sistema penal.

Sin embargo, desde hace un tiempo hacia a esta parte se ha empezado a contestar las pretendidas ventajas del Derecho administrativo sancionador en relación con su capacidad de responder de una forma más eficiente y eficaz respecto de lo que lo hace el Derecho penal[117].

Lo primero que es preciso indicar es que el problema de la eficiencia del Derecho penal y la consecuente necesidad de acudir al Derecho administrativo sancionador pudo haberse planteado en aquellos países en que el poder judicial ha sido alguna vez el responsable de enjuiciar y sancionar todos los ilícitos existentes, algo que no ha sucedido

---

[115] Un reciente ejemplo de ello es, sin duda, la reforma de la Ley de Seguridad Ciudadana de 2015. En este mismo sentido, vid. Torno Mas, J., "¿Quién debe ejercer el «ius puniendi» del Estado?", cit., p. 12. También, aunque no referido a la citada ley, Bajo Fernández, M. / Mendoza Buergo, B., "Hacia una Ley de contravenciones el modelo portugués", cit., p. 571; Nieto García, A., *Derecho administrativo sancionador*, cit., p. 53.

[116] Cordero Quinzacara, E., "El Derecho administrativo sancionador y su relación con el Derecho penal", cit., p. 133; Lascuraín Sánchez, J. A., "Por un Derecho penal sólo penal: Derecho penal, Derecho de medidas de seguridad y Derecho administrativo sancionador", cit., p. 614, quien indica que este motivo está íntimamente relacionado con la imposibilidad de dar una respuesta ágil a todos los casos que llegan a los tribunales; Cano Campos, T., "El concepto de sanción y los límites entre el Derecho penal y el Derecho administrativo sancionador", cit., p. 216.

[117] En este sentido, entre otros, Rando Casermeiro, P., *La distinción entre el Derecho penal y el Derecho administrativo sancionador. Un análisis de política jurídica*, cit., p. 392 y ss.

en España[118]. No obstante, si en los países en que ha habido una estricta separación de poderes ha sido necesario acudir al Derecho administrativo sancionador, puede sospecharse que en caso que en España el Derecho penal hubiera copado el *ius puniendi* del Estado hubiera sucedido algo muy similar: una hipertrofia del Derecho penal y la necesidad de buscar alternativas que den solución donde el poder judicial no llega o no lo hace con la eficiencia y eficacia deseada.

Junto a ello, de entre los distintos argumentos que se han referido por parte de la doctrina y el Tribunal Constitucional a la mayor eficiencia del Derecho administrativo sancionador, el principal es el de su mayor agilidad y la necesidad de descongestionar el sistema de justicia penal. En base a ello se ha justificado, no solo la existencia, sino también su expansión a un elevado número de ámbitos sin que por su parte se haya evaluado si en la práctica es o no así[119]. Lo cierto es que desde que se empezó a formular este argumento – el de la agilidad – como base para justificar el uso del Derecho administrativo sancionador se han producido cambios importantes tanto en el propio Derecho penal como en el administrativo sancionador. Así, desde los años 80 hacia aquí se han realizado diversas reformas que han afectado el sistema de justicia penal en el sentido de introducir procedimientos más rápidos, crear juzgados especializados y, entre otras, fiscalías o unidades policiales especializadas en determinados ámbitos delictivos. Por su parte, el procedimiento administrativo sancionador se ha envuelto de garantías formales y materiales de las que antes no gozaba lo que sin duda ha provocado una pérdida de su rapidez en resolver los asuntos a la par que se han incrementado el número de

---

[118]   Entre otros, vid. Parada Vázquez, R., "El poder sancionador de la Administración y la crisis del sistema judicial penal", cit., p. 66 y ss.; Martín-Retortillo Baquer, L., "Multas administrativas", cit., p. 17 y ss.; García Albero, R., "La relación entre ilícito penal e ilícito administrativo: texto y contexto de las teorías sobre la distinción de ilícitos", cit., p. 303 y ss., quienes explican la evolución del Derecho administrativo sancionador español, paralela a del Estado de Derecho.

[119]   Vid. Rando Casermeiro, P., *La distinción entre el Derecho penal y el Derecho administrativo sancionador. Un análisis de política jurídica*, cit., pp. 395 y 396, quien indica que no hay datos que puedan ayudar a comprobar si ello es realmente así.

procedimientos sancionadores en los que interviene algún elemento de complejidad[120].

Sobre ello, lo primero a objetar es que el trasvase de competencias desde el ámbito del Derecho penal al Derecho administrativo sancionador no es tan ventajoso como puede parecer, pues lo que hay es un traslado de las cargas hacia el Derecho administrativo sancionador[121]. Este último, a pesar de no contar con datos, es probablemente más económico en términos monetarios[122]. Sin embargo, tal argumento no puede servir para justificar que una conducta sea castigada mediante el Derecho administrativo sancionador. Pero es que según los datos ofrecidos por el CGPJ, la congestión de los tribunales penales en España no es mayor que la de la Administración o de la jurisdicción contenciosa-administrativa[123]. Si se comparan los últimos datos publicados, puede verse como, de las diferentes jurisdicciones, la penal es la que está menos congestionada con una tasa de 1,22[124]. Por su parte, la jurisdicción contenciosa-administrativa es aquella con una mayor tasa de congestión de 1,93[125]. De lo anterior, a pesar de reco-

---

[120]   Vid. Navarro Cardoso, F., *Infracción administrativa y delito: límites a la intervención del Derecho penal*, cit., p. 86, según el cual la pretérita mayor eficacia del Derecho administrativo sancionador se debía a la falta de cualquier garantía en el procedimiento administrativo sancionador. También, Rando Casermeiro, P., *La distinción entre el Derecho penal y el Derecho administrativo sancionador. Un análisis de política jurídica*, cit., p. 401, quien considera que la idea de que la justicia penal es lenta se basa en una visión decimonónica de la Administración de justicia.

[121]   En el mismo sentido, vid. Rando Casermeiro, P., *La distinción entre el Derecho penal y el Derecho administrativo sancionador. Un análisis de política jurídica*, cit., pp. 412-413, quien plantea que lo que realmente se está haciendo con ello es trasladar el problema a la Administración y que si realmente existe un problema de congestión lo que debería es incrementarse el financiamiento del sistema de justicia penal.

[122]   Piénsese en los costes de personal del sistema de justicia penal, superiores a la de los funcionarios encargados de gestionar los expedientes sancionadores en la Administración.

[123]   Vid. Cano Campos, T., "El concepto de sanción y los límites entre el Derecho penal y el Derecho administrativo sancionador", cit., pp. 221-222, quien considera que si existe un problema de congestión de los tribunales penales lo que debe hacerse es dotar de mayores medios a estos y no trasladar las cargas a otros órganos: la Administración y la jurisdicción contenciosa-administrativa.

[124]   Vid. panorámica de la justicia 2019, p. 45.

[125]   Vid. panorámica de la justicia 2019, p. 68.

nocer que con los pocos datos de que se dispone es realmente difícil poder llegar a alguna conclusión con suficiente fundamento, debe ponerse en tela de juicio que exista una necesidad de descongestionar los tribunales penales, al menos no mayor que en la vía contenciosa-administrativa[126]. Ello fue advertido, incluso, por el Consejo de Estado en su Dictamen sobre el Anteproyecto de reforma de Código Penal de 2013 quien, a raíz de la descriminalización de un número importante de faltas y su conversión en infracciones administrativas, indicó que lo que se producía no es más que un traslado de la carga de trabajo, por lo que la descongestión no podía ser en ningún caso la razón en base a la cual optar al mencionado cambio[127].

Otro dato importante a la hora de hablar sobre la eficiencia de uno y otro sistema punitivo es la rapidez con la que se resuelven los asuntos. Aunque no hay datos sobre la duración de los procedimientos administrativos sancionadores, sí que es posible consultar los relativos a la duración media de los procesos penales.

---

[126]   Lo que no puede afirmarse en ningún caso es que la congestión de la jurisdicción contencioso-administrativa sea consecuencia de la tipificación de ilícitos como administrativos, pues en ello influyen un elevado número de factores que nada tienen que ver con el tema objeto de estudio.

[127]   El Dictamen del Consejo de Estado sobre el Anteproyecto de ley orgánica por la que se modifica la Ley Orgánica 10/1995, de 23 de noviembre, del Código Penal, de 27 de junio de 2013 dice literalmente: "Se trata, por tanto, de una cuestión cuya decisión corresponde al legislador, que dispone, a tal efecto, de un amplio margen de maniobra. En todo caso, sí quiere advertirse que la despenalización de conductas ha de encontrar su fundamento en el principio de intervención mínima del Derecho Penal, más que venir impulsada por un objetivo de agilizar el funcionamiento de la Administración de Justicia. Y ello, no solo por la necesidad de que el Estado dé adecuada respuesta a las conductas que tengan un reproche social digno de sanción penal -en última instancia, como alternativa a la autotutela privada-, sino porque la despenalización de las conductas mediante su remisión a la vía civil o administrativa no supone necesariamente un ahorro de medios, sino un traslado de la carga de un ámbito a otros. Desde esta perspectiva, la visión del legislador -y de los textos que se sometan a su consideración- ha de ser global y no limitada a un determinado sector de la organización del Estado."

Tabla 1. Duración media de los procesos (m).

	2019	2018	2017	2016	2015
Juzgado de instrucción	2,4	2,3	2,3	2,3	1,5
Juzgado de violencia sobre la mujer	2,1	2	2	2	2,1
Juzgado de menores	6,7	6,6	6,2	5,7	5,6
Juzgado de vigilancia penitenciaria	2	2,1	1,9	1,8	1,7
Juzgado de lo penal	9,2	9,4	9,6	10,2	10,8
Audiencia Provincial	2,1	2	2	2	2,4

Fuente: Panorámica de la Justicia – año 2019, CGPJ

En general, de los datos aportados por el CGPJ puede inferirse que los procesos penales no son tan largos como podría parecer de las afirmaciones que se han versado sobre la lentitud del proceso penal. Así, en términos generales, los procesos llevados por los Juzgados de Instrucción han tenido una duración aproximada de 2,4 meses en el 2019. Datos similares se pueden observar sobre los procesos llevados por parte de los Juzgados de la Violencia sobre la Mujer (2,1) o las Audiencias Provinciales (2,1). Solo los procesos que se llevan en los Juzgados de los Penal tienen una duración más próxima al año (9,2 meses). En cualquier caso, la duración media de la mayoría de procedimientos penales durante los últimos años es inferior a los 3 meses.

Como se ha dicho, no hay datos sobre la duración de los procedimientos administrativos sancionadores. No obstante, si tomamos los datos de los Juzgados de Instrucción (2,4 meses de duración media en 2019) o la duración de los delitos leves en 2019 (2,7 meses)[128] que son los juzgados y procedimientos para los delitos leves o menos graves y frente a los que es posible discutir si los hechos deberían ser enjuiciados mediante el uso del Derecho penal o del Derecho administrativo sancionador, podrá comprobarse como es difícil continuar afirmando que el Derecho penal es más lento. Incluso, partiendo de la realidad del Derecho administrativo sancionador a partir de la Ley 39/2015, de Procedimiento Administrativo Común, en que se ha generalizado lo que hasta entonces estaba previsto en algunas leyes sectoriales; esto

---

[128] Vid. Panorámica de la justicia 2019, p. 61. Solo los procedimientos abreviados tienen una duración algo más larga (7,6 meses de media en 2019).

es, el favorecimiento de que el denunciado renuncie al procedimiento administrativo y de cualquier recurso posterior a cambio de una reducción en el importe de la sanción a imponer. A la vista de lo descrito resulta, por tanto, difícil mantener tal posición.

Los datos que sí pueden compararse son los relativos a la vía penal frente a la contenciosa-administrativa. Es decir, en relación con el tiempo de resolución de los procesos administrativo-sancionadores en caso de que el sujeto sancionado decida recurrir la decisión de la Administración pública frente a los tribunales. En estos casos, la duración media de los procedimientos contencioso-administrativos es de 12 meses. Si nos referimos estrictamente a aquellos procesos que se refieren a la actividad administrativa sancionadora su duración varía mucho según el tribunal al que nos referimos, de modo que si el proceso debe ventilarse frente a los Juzgados de los Contencioso-administrativo el tiempo medio es de 9,4 meses, pero si debe ventilarse frente al Tribunal Superior de Justicia los procesos llegan a los 22 meses. La duración de los recursos de apelación en la jurisdicción penal, en cambio, es de 1,6 meses. Si comparamos la duración de los procesos en caso de plantearse un recurso de casación, en la vía penal tienen una duración de 5,3 meses a diferencia de los 16,4 meses en la jurisdicción contenciosa-administrativa.

En relación con la eficacia, se ha dicho que el Derecho penal no es capaz de reducir el número de delitos que se cometen; que el sistema no cumple con los fines de la pena. Esto es, que no previene la comisión de delitos y que ello se hace más evidente incluso con los delitos que protegen bienes jurídicos colectivos, pues en el fondo lo que se pretende con el Derecho penal no es más que crear una falsa sensación de seguridad a la ciudadanía. No obstante, la realidad es que a pesar de que la eficacia del Derecho penal es evidentemente relativa, pues si fuera absoluta no se cometerían delitos, lo cierto es que no lo es menos que el Derecho administrativo sancionador[129]. En todo caso, una vez cometido el ilícito, el Derecho penal dispone de un mayor abanico de mecanismos para descubrir el responsable del ilícito. Si de lo que hablamos es de prevención, entonces en cualquier caso el Derecho

---

[129] Vid. Nieto García, A., *Derecho administrativo sancionador*, cit., p. 36, quien pone de manifiesto la ineficacia de todo el sistema represivo estatal.

penal necesita de la colaboración, entre otros, de las Administraciones públicas para con el objetivo de evitar que se cometan delitos, por lo que deben corresponsabilizarse de la pretendida ineficacia.

Con lo expuesto hasta ahora es suficiente para desvirtuar, o al menos poner en tela de juicio, uno de los principales argumentos que han sido utilizados tanto por la doctrina como la jurisprudencia del TC para justificar la despenalización: el de la mayor eficiencia y eficacia del Derecho administrativo sancionador. Los datos aportados sirven al menos para poner en duda la mayor agilidad del procedimiento administrativo sancionador y la pretendida lentitud del proceso penal.

Más difícil es rebatir los otros dos argumentos que se han anunciado *supra*. El primero porqué es difícil luchar contra razones de carácter político. Al respecto lo que puede decirse es que si lo que se pretende es racionalizar la política legislativa no debería ser un argumento válido para justificar la tipificación de una conducta como de carácter administrativo sancionador el hecho de que le convenga a la Administración. La verdad, sin embargo, es que si este es el argumento que preside una determinada política legislativa tampoco será posible rebatirla, pues el legislador no lo pondrá por escrito. En relación con el segundo, poco hay que decir. El Estado social ha comportado y sigue comportando un incremento de las materias en que la Administración ejerce algún tipo de control, lo que obliga, a fin de que sean cumplidas por parte de los ciudadanos, a que exista algún tipo de mecanismo dirigido a controlar su cumplimiento y en caso negativo a sancionar al infractor por ello.

Siendo ello así, y consciente de la ingente cantidad de materias en que la Administración ejerce algún tipo de control, defender que el Derecho administrativo sancionador ya no resulta necesario carece de todo sentido. No obstante, si, tal como hemos visto, resulta que por lo general este no es tan rápido y ágil como se creía lo que sí puede afirmarse es que a pesar de que el Derecho administrativo sancionador debe continuar existiendo no tiene por qué hacerlo con la misma intensidad que lo ha estado haciendo hasta ahora.

3. LA NECESIDAD DE ESTABLECER LÍMITES ENTRE EL DERECHO PENAL Y EL DERECHO ADMINISTRATIVO SANCIONADOR.

Teniendo en cuenta que en la actualidad continúa siendo necesaria la existencia del Derecho administrativo sancionador, sobre todo por la imposibilidad de que el Derecho penal llegue a abarcar de forma satisfactoria todos los ámbitos en los que es necesario conminar con la imposición de una sanción, es necesario ahora determinar si debe haber límites entre el uso del Derecho penal y el Derecho administrativo sancionador o, por el contrario, tal como defienden las teorías formales, el legislador es libre para disponer qué debe regularse a través de uno u otro sistema punitivo.

Ya hemos visto que el Derecho positivo español constriñe, aunque solo muy parcialmente, la capacidad de la Administración para hacer uso del Derecho administrativo sancionador. En este sentido, si una conducta es merecedora de pena privativa de libertad solo será posible hacer uso del Derecho penal. No obstante, la Constitución española no dispone de un modo directo más limitación que esta. Es decir, no establece cuando una conducta es merecedora de una pena privativa de libertad, por lo que el legislador con simplemente no imponer una sanción de esta naturaleza puede, en principio, tipificar cualquier ilícito como de naturaleza administrativa.

Defender tal postura podría llevar, por tanto, a un uso abusivo del Derecho administrativo sancionador. Desde un punto de vista más realista en el que se admita que hay conductas que claramente son merecedoras de una sanción privativa de libertad, debe reconocerse que hay muchas otras que no lo son – o gran parte de la doctrina penalista consideran que no lo deben ser –, tales como delitos contra bienes jurídicos colectivos, delitos económicos, o directamente bagatelas. Hay, por tanto, un elevado número de ilícitos en los que no está nada claro quién debe ser el órgano que debe conocer de los mismos y en los que el legislador tienen realmente una amplia discrecionalidad[130].

---

[130] García Albero, R., "La relación entre ilícito penal e ilícito administrativo: texto y contexto de las teorías sobre la distinción de ilícitos", cit., p. 375.

No obstante, debe recordarse que el Estado de Derecho impuesto por la vigente Constitución exige que el Estado respete el principio de separación de poderes, de modo que la función judicial debe ser ejercida exclusivamente por jueces y tribunales[131] (art. 117.3 CE). La Constitución, por tanto, reserva al poder judicial, tal como es defendido por Díez-Picaso, "tanto la resolución de conflictos, entre particulares o entre estos y la Administración, como el ejercicio del *ius puniendi*"[132]. Como dice Quintero, el Poder judicial "es el genuinamente dotado por la Constitución de la capacidad de limitar los derechos de los ciudadanos"[133]. Así, por mucho que la propia Constitución reconozca también la potestad de la Administración para imponer sanciones, esta debería reconocerse con carácter subsidiario, sobre todo para con el objetivo de cumplir con el principio de eficacia con el que debe regir la Administración, según lo establecido en el art. 103.1 CE.

Junto con los límites que la propia Constitución establece al uso del Derecho administrativo sancionador, resulta todavía más importante valorar, si quiera brevemente, las diferencias que presentan ambos sistemas punitivos y sobre todo las consecuencias y efectos que tienen para los sujetos afectados. Como se ha visto, los límites no están nada perfilados desde un punto de vista normativo, pero, en cambio, el uso de uno u otro sistema punitivo afecta de forma muy distinta a los propios derechos constitucionales de los que todos los ciudadanos son titulares. De hecho, estas cuestiones y no otras de corte más formal son las que realmente son transcendentes a la hora de valorar la necesidad o no de establecer límites entre el Derecho penal y el Derecho administrativo sancionador.

---

[131] Así lo establece el art. 117.3 CE y lo reconoce también, a pesar de considerar que ello no es viable, el propio Tribunal Constitucional. Vid., entre otras, la STC 77/1983, de 3 de octubre, que declara: "[...] la potestad sancionadora debería constituir un monopolio judicial y no podría estar nunca en manos de la Administración".

[132] Díez-Picaso Giménez, L. M., "la potestad jurisdiccional: características constitucionales", *Parlamento y Constitución. Anuario*, núm. 2, 1998, p. 74.

[133] Vid. Quintero Olivares, G., "La autotutela, los límites al poder sancionador de la Administración Pública y los principios inspiradores del Derecho penal", cit., p. 255.

Puesto que las diferencias son muchas, en lo que sigue, la descripción de las mismas se agrupará en dos grandes bloques. Por un lado, las relativas a las garantías formales o procedimentales y, por otro, las de carácter material.

Empezando por el bloque procedimental, una primera diferencia evidente para todos y que no es si quiera necesario desarrollar es en relación con el órgano responsable de imponer la sanción. En el caso del Derecho administrativo sancionador es la propia Administración quien juega un doble papel de juez y parte en el procedimiento administrativo sancionador. Los funcionarios que conforman las unidades administrativas responsables de tramitar los expedientes administrativos sancionadores además se rigen por el principio de subordinación[134], por mucho que el art. 103 CE propugne la imparcialidad de los funcionarios en el ejercicio de sus funciones, tal como ha sido reconocido por el propio TC[135].

Una segunda diferencia está en relación con el derecho de defensa[136]. En el Derecho administrativo sancionador, a diferencia de lo que sucede en el proceso penal[137], no es preceptiva la asistencia de letrado en los procedimientos administrativos sancionadores. Ello no quita que el denunciado pueda optar por hacer uso de asistencia técnica letrada. La asistencia de letrado, sin embargo, tal como ha

---

[134]   Sobre ello, vid. Parada Vázquez, R., "El poder sancionador de la Administración y la crisis del sistema judicial penal", cit., pp. 92-93; Nieto García, A., *Derecho administrativo sancionador*, cit., pp. 53-54; Alarcón Sotomayor, L., *El procedimiento administrativo sancionador y los derechos fundamentales*, Ed. Civitas, 2007, pp. 77-79.

[135]   Vid., entre otras, SSTC 2/2003, de 16 de enero, 45/1997, de 11 de marzo, que afirma que, en el procedimiento administrativo sancionador la Administración concentra las funciones de acusador y decisor.

[136]   Sobre ello, vid. Alarcón Sotomayor, L., *El procedimiento administrativo sancionador y los derechos fundamentales*, cit., pp. 245 y ss.

[137]   A pesar de que no exista un derecho fundamental a la asistencia letrada obligatoria, el TC sí que indicado que el derecho a la asistencia letrada debe garantizarse incluso en aquellos procesos en que esta no resulta obligatoria, siempre que la parte lo estime conveniente para la defensa de sus intereses. En este sentido, SSTC 216/1988, de 12 de diciembre, 71/1990, de 7 de mayo, o 114/1998, de 1 de junio.

afirmado el Tribunal Supremo, ni es imprescindible ni es gratuita[138], a pesar, incluso, de que el propio tribunal haya afirmado que la asistencia letrada es, de hecho, "materialmente necesaria"[139].

En tercer lugar, otra diferencia en el seno del procedimiento administrativo sancionador respecto del penal puede verse en relación con el derecho a no declarar contra uno mismo. Por lo que parece el derecho a no autoincriminarse está también integrado en el derecho administrativo sancionador. No obstante, tal como la doctrina del TC ha puesto de manifiesto[140], este derecho se presenta con matices, puesto

---

[138] Es reiterada la jurisprudencia del TS en la que se afirma que no existe tal derecho. Vid., entre otras, SSTS 1828/2003, de 17 de marzo.

[139] Vis STS 3360/2010, de 15 de junio, que literalmente indica: "en materia de revisión en vía administrativa, aprobado por Real Decreto 520/2005, de 13 de mayo (BOE de 27 de mayo)], la complejidad de los procedimientos tributarios, la dificultad intrínseca de las disposiciones que regulan las distintas figuras impositivas y la especialización de los órganos y de los funcionarios que intervienen en las fases administrativas de gestión y de revisión no sólo aconsejan sino que, en la mayoría de los casos, hacen materialmente imprescindible que los contribuyentes comparezcan asesorados por expertos singularmente preparados para la tarea. En otras palabras, los ciudadanos que deciden voluntariamente asistirse de un técnico cuando se enfrentan a los vericuetos de una inspección fiscal y a la liquidación en la que desemboca no siempre quedan constreñidos a soportar los gastos que comporta ese asesoramiento, a veces insoslayable para obtener la anulación pretendida. El propio Consejo de Estado ha acudido en alguna ocasión a la noción de «gastos necesarios» (dictamen de 20 de mayo de 2004, expediente 957/04, punto III)".

[140] Vid., entre otras, SSTC 103/1985, 76/1990, 161/1997, de 2 de octubre, o la 197/1995, sobre la obligación del titular del vehículo de identificar al conductor responsable de la infracción. Esta última considera que a pesar de aplicarse el derecho a no declarar contra uno mismo en los procedimientos administrativos sancionadores, en este caso: "el art. 72.3 de la L.T.S.V. no conmina al titular del vehículo a declarar sobre la supuesta infracción de tráfico, sino simplemente, a comunicar a la Administración el nombre del conductor del vehículo, de modo que, aunque concurran en una misma persona las circunstancias de conductor y propietario del vehículo, a éste no se le impone el deber ni de efectuar declaración alguna sobre la infracción, ni de autoinculparse de la misma, sino únicamente el de comunicar la identidad de quien realizaba la conducción". En la práctica, sin embargo, sí que puede suponer una auténtica vulneración del derecho a no declararse culpable, por mucho que el TC en el caso concreto hubiera salvado el artículo mencionado de la LTSV (actualmente regulado en los arts. 76 y 93) de su inconstitucionalidad, tema este que ha sido objeto de numerosos recursos de amparo.

que el mismo debe compatibilizarse con la obligación del denunciado de colaborar con la Administración allá donde una ley establezca tal deber de cooperación[141].

En cuarto lugar, en relación con el valor de determinadas pruebas y su influencia en el derecho de presunción de inocencia se presentan también importantes diferencias que hacen que el Derecho administrativo sancionador sea menos garantistas que el Derecho procesal penal. En concreto, las actas de inspección o los atestados policiales que de acuerdo con un elevado número de normativas administrativas sectoriales[142] gozan de una presunción *iuris tantum* de certeza. Parece, no obstante, que la jurisprudencia del TC y del TS ha ido poco a poco diluyendo esta presunción de veracidad de determinadas pruebas en el seno del procedimiento administrativo sancionador. En este sentido son relevantes las Sentencias del TC en que se afirma que los informes de la policía pueden constituir prueba de cargo sin que ello suponga que deban tener una presunción de veracidad[143]. Lo mismo sucede con el TS, si bien este último continúa utilizando el concepto de presunción de certeza. Después, sin embargo, la jurisprudencia del TS termina afirmando que estas pruebas no tienen por qué prevaler frente a otras que conduzcan a conclusiones distintas[144].

Finalmente, aunque sin ánimo de exhaustividad, en relación con cuestiones procedimentales, otra diferencia a la que puede aludirse es en relación con los efectos de la resolución y los recursos que pueden

---

[141] En profundidad, vid. Alarcón Sotomayor, L., *El procedimiento administrativo sancionador y los derechos fundamentales*, cit., p. 183 y ss. La autora, sin embargo, considera que el derecho a no declarar contra uno mismo tiene el mismo alcance en el procedimiento administrativo sancionador que en proceso penal (pp. 186-190), si bien acaba reconociendo que la jurisprudencia del TC se muestra muy restrictiva en el sentido de entender que dentro del derecho a no declararse culpable no se encuentra recogido el de no colaborar contra uno mismo (pp. 196-197).

[142] Sobre ello, vid. Alarcón Sotomayor, L., *El procedimiento administrativo sancionador y los derechos fundamentales*, cit., pp. 416-417, quien cita algunos ejemplos que pueden encontrarse en normativa sectorial o autonómica.

[143] Vid. un desarrollo de la evolución de la jurisprudencia del TC en Alarcón Sotomayor, L., *El procedimiento administrativo sancionador y los derechos fundamentales*, cit., p. 422 y ss.

[144] vid. Alarcón Sotomayor, L., *El procedimiento administrativo sancionador y los derechos fundamentales*, cit., pp. 431-436.

interponerse frente a la misma. Los actos administrativos que ponen fin al procedimiento administrativo sancionador son, por lo general y siempre que no quepa contra el mismo recurso ordinario en vía administrativa, ejecutivos a diferencia de lo que sucede en Derecho penal, donde las sentencias penales solo son ejecutivas una vez son firmes y, por tanto, en cuanto no quepa recurso alguno frente a las mismas. De decirse, sin embargo, que la Ley 39/2015, de Procedimiento Administrativo Común de las Administraciones Públicas, generaliza la posibilidad de suspender cautelarmente la ejecución de la resolución administrativa en los casos en que el sancionado manifieste a la Administración su intención de interponer un recurso contencioso-administrativo contra la resolución administrativa[145]. Hasta su previsión por la Ley 39/2015, tal previsión únicamente estaba prevista por normativa sectorial[146] aunque exigida reiteradamente por parte de la jurisprudencia del TC y TS[147]. Junto con la ejecutividad de la sanción y, por tanto, de la obligación de cumplir con la sanción con carácter previo para poder luego recurrir la resolución administrativa, el Derecho administrativo sancionador impone importantes escollos a los sancionados con el objetivo de que desistan en su futurible intención de recurrir la resolución dictada por parte de la Administración. Tal como se ha indicado *supra*, la Ley de Procedimiento Administrativo Común de 2015 ha generalizado la opción de reducir la cantidad de la multa a imponer a cambio del pronto pago y de la renuncia del sancionado a interponer recurso alguno. Otro importante obstáculo es el riesgo de ser condenado en costas, pues a diferencia del proceso penal, la regla general es el pago de costas por parte del recurrente si no se estiman sus pretensiones[148]. También debe tenerse en cuenta

---

[145] Vid. art. 90 Ley 39/2015. En países como Alemania o Italia, en cambio, la interposición del recurso judicial implica que la decisión de la Administración deja de producir efectos, tal como lo pone de manifiesto, Huergo Lora, A., *Las sanciones administrativas*, cit., p. 402.

[146] Puede verse la previsión anterior a la reforma de 2015 contenida en el art. 138 Ley 30/1992. Como excepción vid. art. 29.2 RD 2063/2004, relativa al régimen sancionador en materia tributaria.

[147] Vid., en este sentido, Rebollo Puig, M. / Izquierdo Carrasco, M. / Alarcón Sotomayor, L. / Bueno Armijo, A. Mª., *Derecho administrativo sancionador*, Ed. Lex Nova, 2010, pp. 896-898.

[148] Vid. art. 139 Ley 29/1998, de 13 de julio, reguladora de la Jurisdicción Contenciosa-administrativa.

otro factor, y es el de desequilibro de las partes entre el sancionado recurrente y la Administración pública. Además, una vez tomada la decisión de acudir a la jurisdicción contenciosa-administrativa, solo es posible plantear un recurso de apelación respecto de las sentencias dictadas por los Juzgados de lo Contencioso-administrativo y de los Juzgados Centrales de lo Contencioso-administrativo y, en los casos en que la sanción impuesta sea de carácter pecuniario, siempre que la cuantía exceda los 30 mil euros[149]. En estos casos, tal como sucede en sede administrativa, tampoco se impide la ejecución de la sentencia recurrida a pesar de la falta de firmeza de la misma[150]. En el resto, frente a sanciones de cuantía inferior o frente a sentencias dictadas en primera instancia por parte de otros órganos no es posible interponer recurso de apelación alguno, siendo únicamente posible la interposición de un recurso de casación, por lo que no se respeta el derecho a la segunda instancia[151].

Pasando ya al segundo bloque, relativo a las diferencias materiales entre ambos sistemas punitivos, es posible indicar múltiples diferencias. Entre las principales que han sido señaladas por la doctrina pueden encontrarse las siguientes. En primer término, la diferencia que más ha sido expuesta es en relación con el principio de legalidad. Frente al mismo, a pesar de que en un principio se había defendido por parte de la doctrina y la jurisprudencia del TC y TS la exclusiva reserva de ley en el ámbito del Derecho administrativo sancionador, desde hace ya más de una década se han ido aceptado también numerosas excepciones al mismo, hasta al punto de ser generalizadas en el ámbito local[152]. En Derecho penal, en cambio, existe una reserva de

---

[149]   Vid. art. 81 Ley 29/1998. También los arts. 8 y 9 de la misma ley, donde se desarrollan las competencias de los Juzgados de lo Contencioso-administrativo y de los Juzgados Centrales de lo Contencioso-administrativo.

[150]   Vid. art. 84 Ley 29/1998.

[151]   Téngase en cuenta el concepto de sanción penal defendido por el TEDH explicado *supra* en el capítulo II de este trabajo y las exigencias derivadas del protocolo núm. 7 al Convenio para la Protección de los Derechos Humanos y de las Libertades Fundamentales (art. 2) que exige que toda persona declarada culpable debe tener derecho a que su condena sea examinada por un órgano jurisdiccional superior.

[152]   Ampliamente sobre ello, vid. Rebollo Puig, M. / Izquierdo Carrasco, M. / Alarcón Sotomayor, L. / Bueno Armijo, A. Mª., *Derecho administrativo sancionador*, cit., pp. 113-150; Nieto García, A., *Derecho administrativo sancionador*, cit., p.

Ley e incluso de Ley Orgánica[153] en los casos en que se afecte a derechos fundamentales (art. 17 CE).

En segundo lugar, en relación con la parte subjetiva del tipo puede apreciarse también una diferencia relevante. En el Derecho penal, por regla general se exige siempre la concurrencia de dolo y solo se admiten las formas imprudentes en aquellos supuestos en que expresamente se establezca (sistema de *numerus clausus*), tal como dispone el art. 12 CP. En el Derecho administrativo sancionador, en cambio, se castigan con carácter general tanto las acciones dolosas como las imprudentes, tal como dispone el art. 28 Ley 40/2015. Cierto es que el nuevo art. 29 Ley 40/2015[154] permite graduar la sanción a imponer según si la conducta ha sido cometida por dolo o imprudencia, pero ello no quita que toda conducta imprudente esté castigada. Debe advertirse también que la Administración – el órgano administrativo, en términos más precisos – no está muchas veces preparada técnicamente para valorar la concurrencia de dolo o imprudencia y la distinción entre ambos, por lo que en la práctica se termina sancionando con igual entidad una que otra conducta[155]. En el Derecho administrativo sancionador, además, es posible incluso la responsabilidad solidaria así como también la objetiva, algo absolutamente prohibido en Derecho penal[156].

Otra de las diferencias importantes se encuentra relacionada con la categoría jurídica de la culpabilidad la cual ha sido extensamente desarrollada por parte de la doctrina y jurisprudencia penal. En Derecho administrativo sancionador, en cambio, solo ha sido tratada

---

222 y ss. Igualmente, vid. el art. 25 Ley 40/2015, de 1 de octubre, de Régimen Jurídico del Sector Público, que habilita a las Administraciones locales a dictar infracciones a través de normas con rango inferior a la ley.

[153] Sobre si la reserva es de Ley Orgánica o solo de Ley puede verse Jaria i Manzano, J., "El marco constitucional del Derecho Penal", Quintero Olivares, G. (dir.), *Derecho Penal Constitucional*, Ed. Tirant lo Blanch, 2015, pp. 148 y ss.

[154] Equivalente al derogado art. 131 Ley 30/1992.

[155] Sobre las carencias técnicas del Derecho administrativo sancionador, vid. Quintero Olivares, G., "La autotutela, los límites al poder sancionador de la Administración Pública y los principios inspiradores del Derecho penal", cit., p. 262.

[156] Vid. los apartados 3 y 4 del art. 28 Ley 40/2015. Sobre ello, vid. también, Rebollo Puig, M. / Izquierdo Carrasco, M. / Alarcón Sotomayor, L. / Bueno Armijo, A. Mª., *Derecho administrativo sancionador*, cit., pp. 287-296.

parcialmente por la doctrina. La jurisprudencia además parece ser reacia a aceptar la aplicación de las causas de exculpación del Derecho penal al Derecho administrativo sancionador. De hecho, según parece solo ha sido aceptado y de forma parcial respecto de algunos de los supuestos exculpantes previstos en el CP y sobre todo ante la jurisdicción militar[157].

En cuarto lugar, otra de las principales diferencias entre uno y otro sistema punitivo está en la previsión normativa de distintas formas de autoría y participación. En este sentido, bien es conocido que en Derecho penal existen distintas formas de autoría así como también otras formas de participación en el delito y que ello se traduce en un grado de responsabilidad distinto según se trate del simple cómplice o de cualquier otra forma de participación en el hecho delictivo[158]. En el Derecho administrativo sancionador, en cambio, solo es posible castigar al autor o coautor de la infracción; no al resto de sujetos que hipotéticamente puedan participar en el ilícito[159]. Lo cierto es que después, tal como sucede en algunos tipos penales, se acaba tipificando también como infracción administrativa lo que en el fondo son formas de inducción o cooperación, por lo que no siempre éstas quedan fuera de una hipotética responsabilidad administrativa sancionadora[160].

Finalmente, y sin ánimo de exhaustividad, otra de las diferencias importantes es en relación con las sanciones a imponer. Como ya se ha dicho en otro momento, en Derecho administrativo sancionador no es posible imponer al sujeto sancionado una sanción privativa de libertad ni de forma directa ni indirecta. A parte de esta diferencia impuesta por la Constitución española, el resto de sanciones a imponer

---

[157]   Sobre ello, vid. ampliamente Rebollo Puig, M. / Izquierdo Carrasco, M. / Alarcón Sotomayor, L. / Bueno Armijo, A. Mª., *Derecho administrativo sancionador*, cit., p. 316 y ss.

[158]   Vid., sobre ello Quintero Olivares, G., *Parte general del Derecho Penal*, cit., p. 595 y ss.

[159]   Pone de manifiesto tal problema Quintero Olivares, G., "La autotutela, los límites al poder sancionador de la Administración Pública y los principios inspiradores del Derecho penal", cit., p. 276.

[160]   Al respecto, vid. Rebollo Puig, M. / Izquierdo Carrasco, M. / Alarcón Sotomayor, L. / Bueno Armijo, A. Mª., *Derecho administrativo sancionador*, cit., p. 260.

pueden coincidir[161]. Es decir, a parte de las privativas de libertad, no existen otras sanciones que puedan tildarse de naturaleza penal.

De las diferencias que se han mencionado se confirma la hipótesis de partida sobre la necesidad de establecer límites entre ambos sistemas punitivos: el Derecho penal y el Derecho administrativo sancionador. Esta necesidad se deriva, no solo por las exigencias constitucionales, sino, principalmente, por las diferencias existentes entre uno y otro sistema punitivo que provocan que el sujeto sancionado goce cuantitativamente y cualitativamente de menores garantías en el seno del Derecho administrativo sancionador respecto del Derecho penal. También por la distinta valoración – aunque cada vez la línea esté más desdibujada – que tiene uno y otro sistema sancionador.

4. LA NECESIDAD DE ACUDIR A OTROS CRITERIOS PARA VALORAR LA NATURALEZA DE LA INFRACCIÓN.

Si se concluye la necesidad de establecer límites entre el Derecho penal y el Derecho administrativo sancionador y, tal como se ha visto, no siendo posible que estos límites deriven de la naturaleza propia de ambos sistemas punitivos, deberá buscarse otros criterios que guíen al legislador a la hora de decidir si una conducta - y la sanción a imponer, en caso de que la misma sea infringida – debe castigarse mediante una u otra vía.

El principal problema radica en encontrar unos criterios válidos que puedan servir a tal fin. Además, debe tenerse presente que, en cualquier caso, estos criterios pueden aspirar a ser orientativos, a ayudar a delimitar qué instrumento punitivo es preferible en cada caso, pero no sirven para determinar la naturaleza penal o administrativa de los ilícitos. De hecho, muchos de los autores que defienden algunas de las teorías ontológicas explicadas más arriba admiten ya que no es

---

[161] En el mismo sentido se pronuncia Cano Campos, T., "El concepto de sanción y los límites entre el Derecho penal y el Derecho administrativo sancionador", cit., pp. 226 y 227.

posible determinar de forma categórica qué es Derecho penal o qué Derecho administrativo sancionador.

El principal criterio que ha sido utilizado para justificar la renuncia del uso del Derecho penal a favor del Derecho administrativo sancionador o del Derecho civil es el principio de proporcionalidad en sentido amplio o, más en concreto, algunos de los subprincipios que derivan de este[162]. Según la jurisprudencia del TC, y también del TEDH, el principio de proporcionalidad está compuesto por tres elementos: la idoneidad, la necesidad y la proporcionalidad en sentido estricto.

Respecto del primero de los principios derivados de la proporcionalidad en sentido amplio se ha dicho que el Derecho penal no es el medio más idóneo para hacer frente, para prevenir, muchos de los problemas que actualmente se están planteando en las sociedades contemporáneas[163]. Sin duda, quienes realizan tal aserción tienen toda la razón. No obstante, el Derecho penal no solo no es idóneo para hacer frente a mucha de la llamada "nueva" delincuencia, sino que tampoco lo es frente a la delincuencia clásica o el llamado núcleo duro del Derecho penal. El Derecho penal es muchas veces auxiliar[164] de otras esferas del ordenamiento jurídico y, en cualquier caso necesita de otros mecanismos no punitivos dirigidos a evitar la comisión de

---

[162] La doctrina se ha referido también a otros principios materiales del Derecho penal, sin que, sin embargo, haya consenso sobre ellos. Así, uno de los principios sobre los que se ha discutido su capacidad para limitar el contenido del Derecho penal es el de exclusiva protección de bienes jurídicos, el de culpabilidad o el de merecimiento. No obstante, tales principios sirven para determinar qué debe castigarse y con qué cantidad de sanción, pero no establecer límites entre los distintos sistemas punitivos de los que dispone el Estado.

[163] Afirmación que ha sido reiteradamente alegada por parte de la Escuela de Frankfurt. Sobre ello, vid. Aguado Correa, T., *El principio de proporcionalidad en Derecho penal*, Ed. Edersa, 1999, pp. 157-158.

[164] Ello sin poner en duda la autonomía del Derecho penal, tal como afirma Quintero Olivares, G., *Parte general del Derecho Penal*, cit., pp. 98-99, quien afirma "que la justificación de una conducta típica halle su fundamento en disposiciones no penales es algo que se corresponde lógicamente con la unidad superior del Ordenamiento Jurídico [...]. No obstante, eso no basta para decir que la norma y el comportamiento por ella preceptuado no pertenezca al Derecho penal".

delitos[165]. Esta falta de idoneidad para con su objetivo: la evitación de delitos, no es una característica singular del Derecho penal, sino que es algo compartido por cualquier sistema meramente punitivo, por lo que también puede decirse del Derecho administrativo sancionador. En uno y otro caso, la amenaza y también la efectiva imposición de sanción tiene un efecto limitado[166]. Se cometen delitos e infracciones y, además, parece ser que un número importante de hechos se comete por parte de sujetos reincidentes[167]. La idoneidad, sin embargo, no solo debe exigirse del Derecho sustantivo, sino también del Derecho procesal y del Derecho de ejecución. En este sentido, se dice que la expansión del Derecho penal sustantivo conlleva una merma de la efi-

---

[165] En este sentido se manifiesta gran parte de la doctrina penalista. Por todos, vid. Quintero Olivares, G., *Parte general del Derecho Penal*, cit., p. 99. También, evidentemente desde la criminología, donde parte importante de su investigación se destina justamente a la búsqueda de mecanismos dirigidos a evitar que se cometan delitos. Entre algunos de estos mecanismos no penales, a modo ilustrativo, puedes mencionarse los programas de prevención penal en el mundo de la empresa, el derecho de policía, o aquellos que inciden en cuestiones de política social o ecología urbana, por poner algunos ejemplos.

[166] Vid. la tesis de Mir Puig, S., *Derecho penal. Parte general*, Ed. Reppetor, 2008, p. 117, quien considera, sin embargo, que la ineficacia de la pena "no debe medirse sobre la base de los que ya han delinquido. Precisamente en éstos el hecho de haber delinquido demuestra inevitablemente que para ellos la pena ha resultado ineficaz. La eficacia de la pena no puede valorarse por esos fracasos, sino por sus posibles éxitos, y éstos han de buscarse entre los que no han delinquido y acaso lo hubieran hecho de no concurrir la amenaza de la pena".

[167] Aunque no existan datos sobre reincidencia en el ámbito del Derecho administrativo sancionador en general, sí que existen en ámbitos específicos en los que puede comprobarse la afirmación realizada en el texto. Este es el caso, por ejemplo, de las infracciones en el ámbito del tráfico de vehículos, donde según datos de 2017, un aproximadamente 26% de los infractores es reincidente. Donde sí hay datos es en relación con la reincidencia en el ámbito penal. Se estima que en Catalunya hay una tasa de reincidencia penitenciaria (por lo que el número de personas que reiteran en la comisión de delitos es mayor aún) aproximada del 30%. Si siendo la amenaza la privación de libertad existen tales tasas de reincidencia, puede deducirse que la reincidencia en el ámbito administrativo sancionador, que, por lo general amenaza con sanciones inferiores, será también alta, y más si se tiene en cuenta el número de ilícitos (penales y administrativos) que engordan las cifras negras. Los datos sobre reincidencia en el ámbito de las infracciones de tráfico en 2017 pueden consultarse en el siguiente web http://revista.dgt.es/es/multimedia/infografia/2018/0404por-que-incumplimos-las-normas-reincidentes.shtml#.W3_jKJMzY6U

cacia del Derecho penal, y por tanto, también de la idoneidad de este para hacer frente a los delitos[168]. También en relación con los efectos de la pena. No obstante, en páginas anteriores hemos tenido ocasión ya de contestar a la supuesta lentitud del proceso penal.

El principio de idoneidad, llamado también principio de eficacia o utilidad, no sirve, pues, como criterio para justificar la renuncia del uso del Derecho penal a favor del Derecho administrativo sancionador. Las razones que pueden justificar la falta de idoneidad en un caso pueden ser trasladables también al otro.

Pasando ya al segundo elemento; el de la necesidad, se dice que este está integrado por, al menos, dos principios[169]: el de *ultima ratio* o subsidiariedad y el de fragmentariedad. El principio de *ultima ratio* o subsidiariedad implica que el Derecho penal tan sólo debe ser utilizado cuando no existan medios menos lesivos para con la protección de un determinado interés o bien jurídico a la vez que el Estado está obligado a tomar todas aquellas medidas no penales posibles que eviten el recurso al Derecho penal. El uso del Derecho penal, por tanto, debe ser subsidiario, el último recurso del Estado. Una vez se ha decidido que un determinado bien jurídico es merecedor de protección penal, el principio de fragmentariedad, por su parte, lo que dirá es que no todos los ataques a un determinado bien jurídico penal deben estar protegidos mediante el uso del Derecho penal, sino solo aquellos más graves.

Como puede fácilmente intuirse, ambos principios han sido y continúan siendo los principales criterios a través de los cuales se pretende justificar la necesidad de descriminalizar determinadas conductas y que las mismas, en su caso, pasen a ser "meras" infracciones administrativas[170]. Según su propio contenido, si con el uso del Derecho

---

[168] Advierten sobre ello Aguado Correa, T., *El principio de proporcionalidad en Derecho penal*, cit., pp. 154-156.

[169] Sobre ello, en realidad, al igual que en el propio contenido del principio de proporcionalidad en sentido amplio, no hay acuerdo entre la doctrina. Vid., por todos, la amplia exposición sobre la materia en Aguado Correa, T., *El principio de proporcionalidad en Derecho penal*, cit., *passim*.

[170] Este, justamente, fue el principal criterio que motivó la derogación de las faltas y su conversión en infracciones administrativas, según se desprende de la Exposición de motivos de la LO 1/2015.

administrativo sancionador, del Derecho civil o directamente a través de medidas extrajudiciales reparadoras o con una adecuada Política social es suficiente para proteger un determinado bien jurídico o una determinada forma de ataque a un determinado bien jurídico, el uso del Derecho penal no quedará justificado. Entre sus valedores están, entre muchos otros, autores tan importantes como Von Liszt, Roxin, Hassemer, Jescheck, Quintero o Mir Puig[171]. Todos ellos, aunque sea indirectamente, consideran que el principio de *ultima ratio* es el criterio, la directriz, responsable de establecer los límites – aunque borrosos – entre qué debe ser objeto del Derecho penal y qué no. Este principio, dicen que, como mínimo, ayuda a distinguir entre el Derecho penal y el Derecho administrativo sancionador[172]. El principio tiene, por tanto, una vertiente negativa; el uso Derecho penal solo debe activarse en los casos en que no haya otros medios menos lesivos que puedan proteger un determinado bien jurídico. Tiene también otra vertiente positiva: el Estado tiene la obligación de adoptar todas aquellas medidas de Política Social necesarias dirigidas a la protección de un determinado bien jurídico para así evitar hacer uso de medios punitivos[173].

La defensa del principio de subsidiariedad, y en particular de la vertiente negativa del mismo, conlleva un rechazo del uso del Derecho penal siempre que no sea absolutamente necesario o, lo que es lo mismo, a una defensa de un Derecho penal mínimo. Es decir, solo puede acudirse al Derecho penal cuando no haya otra solución posible.

Como fácilmente puede intuirse el primer problema que plantea el principio de subsidiariedad es el de su operatividad. Es decir, ¿cómo el principio nos puede indicar cuándo el Derecho penal es necesario?

---

[171]   Roxin, C., *Derecho penal. Parte general. Tomo I*, Ed. Civitas, Madrid, 1997, p. 71; Quintero Olivares, G., *Parte general del Derecho Penal*, cit., 99, Mir Puig, S., *Derecho penal. Parte general*, cit., p. 118; Silva Sánchez, J M., *Aproximación al Derecho penal contemporáneo*, Ed. B de F, 2ª ed., 2010, p. 394; Luzón Peña, D., *Lecciones de Derecho penal. Parte general*, Ed. Tirant lo Blanch, 2016, p. 23; Peris Riera, J. M., *El proceso despenalizador*, cit., p. 45.

[172]   Roxin, C., *Derecho penal. Parte general, cit.*, p. 71; Peris Riera, J. M., *El proceso despenalizador*, cit., p. 45.

[173]   No es este un aspecto del principio que haya sido resaltado por la doctrina; seguramente porque el principio de *ultima ratio* se analiza en tanto que criterio limitador del *ius puniendi* del Estado.

Para ello, debe compararse si un medio menos lesivo que el Derecho penal es menos gravoso a la vez que igualmente idóneo. No es suficiente, por tanto, con que haya otras medidas menos gravosas para hacer frente a la protección de un determinado bien jurídico, sino que éstas deben poseer la misma eficacia[174]. Ya el TC español ha sentenciado reiteradamente que el control constitucional sobre el principio de subsidiariedad tiene un alcance y una intensidad muy limitadas, pues el legislador posee un amplio ámbito de decisión[175]. Junto a ello, no siempre puede afirmarse que el Derecho penal sea menos gravoso que otras ramas del Derecho. Así, la aplicación de medidas preventivas, a pesar de que en cada caso concreto suponen un gravamen inferior a la imposición de una pena, lo cierto es que afectan a un número mucho más amplio de personas; es decir, a todas aquellas que participan en ese concreto sector de la vida jurídica[176].

Dejando esta cuestión de lado, otro tema que ha sido puesto encima de la mesa es que la subsidiariedad nunca debería plantearse frente a una norma de conducta, sino solo frente a otra norma de sanción. De hecho, la sanción no puede entenderse subsidiaria de una adecuada Política social o de un adecuado control administrativo, por ejemplo, de un determinado sector, sino que ésta debería entenderse como complementaria[177]. Como indica Wohlers: "las medidas preventivas completas tampoco pueden ser perfectas, por lo que nunca se puede

---

[174]   En este sentido se ha pronunciado tanto el TC español como también su homólogo alemán. Sobre ello, vid. Aguado Correa, T., *El principio de proporcionalidad en Derecho penal*, cit., pp. 240-242.

[175]   Vid. SSTC 66/1985, 55/1996, 161/1997, 127/2009, 60/2010, 160/2012.

[176]   Algunos autores consideran incluso que las reglamentaciones del Derecho administrativo son más lesivas que el propio Derecho penal. Sobre ello, vid. Tiedemann en Seber, G., "¿Puede ser «subsidiario» el Derecho Penal? Aporías de un principio jurídico «indiscutido»", Robles Planas, R. (ed.), *Límites al Derecho penal. principios operativos en la fundamentación del castigo*, Ed. Atelier, 2012, p. 132.

[177]   En este sentido, vid. Schünemann, B., "Protección de bienes jurídicos, ultima ratio y victimodogmática. Sobre los límites inviolables del Derecho Penal en un Estado de Derecho Liberal", Robles Planas, R. (ed.), *Límites al Derecho penal. principios operativos en la fundamentación del castigo*, Ed. Atelier, 2012, p. 68; Seber, G., ", A., "¿Puede ser «subsidiario» el Derecho Penal? Aporías de un principio jurídico «indiscutido»", cit., pp. 135-136; Wohlers, W., "Derecho penal como *ultima ratio*. ¿Principio fundamental del Derecho penal de un Estado de Derecho o principio sin un contenido expresivo propio?", Robles Planas, R.

excluir que, pese a la existencia de sistemas de regulación y de control completos, se produzcan menoscabos o puestas en peligro de bienes jurídicos"[178]. Lo que debería entonces es adoptarse todas las medidas preventivas necesarias a fin de que el uso del Derecho penal – o cualquier otro sistema punitivo – fuera el menor posible, pero asumiendo que en ningún caso es posible prescindir del mismo. La vigencia de un sistema punitivo para los casos de incumplimiento, pues, tiene que existir siempre. La comparación, por tanto, debería hacerse solo frente a otras medidas punitivas y no frente a otras de carácter preventivo.

Llegados a este punto, la cuestión que se plantea, entonces, debe versar sobre cómo comparar sistemas jurídicos distintos. El Derecho penal tiene unas consecuencias colaterales, jurídicas y sociales que no tiene el Derecho administrativo sancionador. En el caso español a veces, sin embargo, tal como se ha puesto de manifiesto en el capítulo anterior, el Derecho administrativo sancionador puede ser incluso más gravoso que el Derecho penal, por lo que, en estos casos concretos, la subsidiariedad debería ser del administrativo sancionador.

Ante tal estado de la cuestión, el siguiente planteamiento que debe hacerse es cuál es el verdadero sentido del principio de *ultima ratio*. En la mayoría de manuales de Derecho penal, tal principio se continúa formulando en el mismo sentido que se hacía hace más de un siglo[179]. No obstante, actualmente el sistema punitivo estatal ha cambiado radicalmente.

Por una parte, el Derecho penal actual ya no es el mismo. La pena de prisión está siendo relevada por multitud de alternativas. En este sentido, según datos publicados por el INE en 2019, del total de sujetos condenados, aproximadamente un 18% lo fueron a pena de prisión y 34% a una pena de multa. Si se compara con los datos de los años anteriores se verá como últimamente se ha ido reduciendo el

---

(ed.), *Límites al Derecho penal. principios operativos en la fundamentación del castigo*, Ed. Atelier, 2012, p. 128.

[178] Wohlers, W., "Derecho penal como *ultima ratio*. ¿Principio fundamental del Derecho penal de un Estado de Derecho o principio sin un contenido expresivo propio?", cit., p. 111.

[179] Ya von Liszt señaló la subsidiariedad del Derecho penal. Sobre ello, vid. Mir Puig, S., *Derecho penal. Parte general*, cit., p. 118; Aguado Correa, T., *El principio de proporcionalidad en Derecho penal*, cit., p. 234.

uso de la pena de prisión a favor de otras penas; principalmente, la pena de multa, pero también otras alternativas a la prisión. Además, si después se observan los datos sobre la duración de la pena de prisión a la que los sujetos son condenados, podrá comprobarse que en 2019 aproximadamente un 93% de los condenados a pena de prisión lo fueron a penas de hasta 2 años de duración, por lo que un número importante de condenas son susceptibles de suspensión, según lo establecido en los arts. 80 y ss. CP. Al respecto, los estudios realizados durante la primera década del S. XXI ya estimaron que las penas ejecutadas eran muchas menos que las impuestas en condena, de modo que, por aquel entonces, solo un 25% de las condenas lo eran realmente a pena de prisión[180]. Actualmente, se estima que las condenas a prisión que efectivamente acaban ejecutándose se encuentran cerca del 5%[181]. En Derecho comparado, la tendencia que puede verse en España es incluso más exagerada, hasta el punto que la pena de prisión no representa de modo alguno el grueso de condenas. Así, por ejemplo, en Alemania, según datos de 2013 el uso efectivo de la pena de prisión representa solo el 5,2% de la condenas; la pena de multa en cambio llega al 82,8% del total de condenas[182]. En Inglaterra, a pesar de que la pena de prisión aún tiene un peso significativo, el uso de la pena de multa llega al 70% de los casos[183], por lo que también tiene un papel importante.

De los datos mostrados se desprende que la pena de multa tiene ya un rol predominante en el total de condenas dentro del sistema de justicia penal, tanto en España como a nivel comparado. Como tal,

---

[180]   En este sentido, vid. Antón García, L. / Larrauri Pijoan, E., "Violencia de género ocasional: un análisis de las penas ejecutadas", *Revista Española de Investigación Criminológica*, núm. 7, 2009; Cid Moliné, J., "El incremento de la población reclusa en España entre 1996-2006: diagnóstico y remedios", *Revista Española de Investigación Criminológica*, núm. 6, 2009. Actualmente, puesto que el número de condenas a prisión en sentencia se ha reducido debería, también, haberse reducido el porcentaje de condenas a prisión que efectivamente son ejecutadas.

[181]   Varona Gómez, D., "La suspensión de la pena de prisión: razones de una historia de éxito", *Revista Española de Investigación Criminológica*, núm. 17, 2019, p. 17.

[182]   Jehle, J., *Criminal Justice in Germany. Facts and Figures*, Federal Ministry of Justice, Germany, 2015, p. 34.

[183]   Vid. Roberts, J. / Ashworth, A., "The evolution of Sentencing Policy and Practice in England and Wales, 2003-2015", *Crime and Justice*, vol. 45, 2016, p. 8.

la multa es justamente idéntica tanto en el Derecho penal como en el Derecho administrativo sancionador[184]. En ambos casos, implica el pago de una cantidad de dinero. Sin embargo, es en ella donde también pueden verse diferencias importantes entre ambos sistemas. A favor de la multa en el Derecho administrativo sancionador es posible afirmar que en caso de no satisfacer el importe de la multa por parte del sancionador no existe, a diferencia de lo que sucede en el Derecho penal, riesgo de ser privado de libertad. No obstante, no siempre que ello pase significa, ni mucho menos, que el sujeto acabe privado de libertad. El art. 53 CP permite que la multa no pagada sea sustituida por trabajos en beneficio de la comunidad. Incluso, en casos en que sea sustituida por una pena privativa de libertad (localización permanente o prisión) es posible también que ésta sea suspendida (art. 80 y ss. CP) o sustituida (art. 71.2 CP) por lo que tampoco terminará ejecutándose. Por su contra, la multa en el Derecho administrativo sancionador acostumbra a ser en términos comparativos más elevada con relación a la entidad de la infracción cometida y además no es proporcional a las capacidades económicas del reo[185], de modo que indistintamente de los ingresos del infractor, el montante a pagar será el mismo, lo que provoca que la misma prohibición tenga efectos preventivos muy diversos según la economía del futurible infractor[186].

Por otra parte, el Derecho procesal penal también ha sufrido cambios importantes y los procesos penales han perdido en muchos casos la formalidad que les era propia, primero, con la introducción del procedimiento abreviado, pasando por el rápido, la conformidad o la creación del proceso por aceptación de decreto, introducido mediante la Ley 41/2015, de 6 de octubre, de modificación de la Ley de

---

[184]   La multa es además en Derecho administrativo sancionador la sanción más numerosa, tal como así lo indica Martín-Retortillo Baquer, L., "Multas administrativas", cit., p. 9.

[185]   Apunta ambas cuestiones, Faraldo Cabana, P., *Los delitos leves. Causas y consecuencias de la desaparición de las faltas*, Ed. Tirant lo Blanch, 2016, p. 78 y 87, si bien el tema del mayor importe de las multas administrativas lo ciñe en el ámbito de su trabajo, la derogación de las faltas y su transformación en parte en infracciones administrativas en la nueva Ley de Seguridad Ciudadana.

[186]   Piénsese en los célebres casos de futbolistas que reiteradamente infringen las normas de circulación y que terminan siendo sancionados con cantidades pecuniarias irrisorias para sus salarios.

Enjuiciamiento Criminal para la agilización de la justicia penal y el fortalecimiento de las garantías procesales.

Paralelamente, el Derecho administrativo sancionador procedimental ha alcanzado un nivel cuantitativa y cualitativamente hablando inimaginable hace cien años, en el sentido de que es mucho más complejo y envuelto de mayores garantías.

Retomando el debate acerca del principio de *ultima ratio*, se ha dicho que el mismo es formulado en el mismo sentido con el que fue elaborado en origen. Con ello nos referimos básicamente al hecho que la dureza del Derecho penal radica en la circunstancia de que éste dispone de una sanción que no posee ningún otro sistema punitivo: la pena privativa de libertad. El resto de sanciones, en cambio, son – o pueden ser – exactamente las mismas que las previstas en el Derecho administrativo sancionador. El problema, pues, no es que el Derecho penal sea más duro, sino que la pena de prisión es la sanción más severa[187]. La subsidiariedad, pues, debe, sobre todo, referirse a la pena de prisión y no al conjunto de normas relativas al Derecho penal.

Se ha dicho, y es cierto, que las penas en general suponen un reproche social[188], tienen una desvaloración ético-social, que no tiene ninguna otra sanción. Ello, sin embargo, tal como se ha discutido cuando hemos analizado las doctrinas ontológicas sobre los límites entre el Derecho penal y el administrativo sancionador, no es propio de una concreta pena, sino de que la misma es impuesta de acuerdo con las

---

[187]   En este mismo sentido, vid. Seber, G., "¿Puede ser «subsidiario» el Derecho Penal? Aporías de un principio jurídico «indiscutido»", cit., pp. 138-139; Cano Campos, T., "El concepto de sanción y los límites entre el Derecho penal y el Derecho administrativo sancionador", cit., p. 227.

[188]   Así lo ha puesto de manifiesto gran parte de la doctrina, si bien muchos de ellos son críticos con tal efecto. Entre otros, vid. Silva Sánchez, J M., *Aproximación al Derecho penal contemporáneo*, cit.; Cid Moliné, J., "Garantías y sanciones (argumentos contra la tesis de la identidad de garantías entre las sanciones punitivas)", cit., pp. 136 y 143-144. Rando Casermeiro, P., *La distinción entre el Derecho penal y el Derecho administrativo sancionador. Un análisis de política jurídica*, cit., pp. 358-360, aunque apunta que también algunas sanciones administrativas poseen el mismo reproche; Seber, G., "¿Puede ser «subsidiario» el Derecho Penal? Aporías de un principio jurídico «indiscutido»", cit., pp. 140-142, quien considera que justamente el hecho de tener este reproche social provoca que sea la *prima ratio*, pues este mensaje es justamente necesario frente a conductas antisociales.

normas del Derecho penal. Esta función comunicativa es, por tanto, una característica del Derecho penal, que a su vez se da en tanto que se entiende que conforma los ilícitos más graves. No obstante, si se entiende que el Derecho penal debe ocuparse de las conductas más graves, luego estas son las que tienen un mayor reproche social[189], lo que explica también la función comunicativa arriba mencionada. En la actualidad, sin embargo, lo cierto es que este reproche social no se da de todos los delitos. De hecho, si solo existiera Derecho penal, de muy seguro que esta idea sería referida solo a los ataques más graves frente a los bienes jurídicos básicos[190]. Un buen ejemplo de ello está en el Derecho inglés. Allí, tal como veremos en el capítulo siguiente, no existe el Derecho administrativo sancionador por lo que todos los ilícitos son regulados como penales; también, por ejemplo, el hecho de no poner el ticket de estacionamiento en las zonas reguladas es delito. Además, difícilmente puede decirse que los ilícitos administrativos o las sanciones impuestas frente la comisión de los mismos estén al margen de este reproche social[191]. En el fondo, cualquier infracción de una norma, indistintamente de la etiqueta que le haya sido asignada por el legislador, es susceptible de que el castigo de la misma lleve consigo tal reproche social. Otra cosa es el nivel de reproche que lleva aparejado una u otra infracción.

Es momento, pues, de replantearse el principio de subsidiariedad no solo del Derecho penal frente al resto de medidas, sino del Derecho punitivo en general frente al resto[192], sin que sea posible que

---

[189] Sobre ello, vid. Cano Campos, T., "El concepto de sanción y los límites entre el Derecho penal y el Derecho administrativo sancionador", cit., pp. 219 y 227.

[190] Apuntan a esta idea, Cid Moliné, J., "Garantías y sanciones (argumentos contra la tesis de la identidad de garantías entre las sanciones punitivas)", cit., pp. 143-144, quien indica que el "hecho de que las sanciones más graves se impongan en un proceso público las hace más estigmatizadoras que si tal publicidad no existiera". También, Cano Campos, T., "El concepto de sanción y los límites entre el Derecho penal y el Derecho administrativo sancionador", cit., p. 227.

[191] En este mismo sentido, vid. García Albero, R., "La relación entre ilícito penal e ilícito administrativo: texto y contexto de las teorías sobre la distinción de ilícitos", cit., p. 358; Rando Casermeiro, P., *La distinción entre el Derecho penal y el Derecho administrativo sancionador. Un análisis de política jurídica*, cit., pp. 359 y 459-460.

[192] En una línea próxima se manifiesta sobre todo parte de la doctrina administrativista, aunque también una parte de la penalista. Vid. Nieto García, A., *Derecho*

dicho principio sea capaz de distinguir entre la aplicación de normas punitivas de naturaleza penal y las de naturaleza administrativa. En este sentido, es ilustrativa la afirmación que realiza Alarcón cuando, justificando la necesaria reinterpretación del principio de intervención mínima, dice que con la despenalización "los ilícitos y los castigos seguirán siendo los mismos o más, sólo que en vez de castigar los jueces penales lo hará la Administración"[193]. La subsidiariedad debe, además, entenderse en el sentido de que solo debería acudirse al Derecho punitivo en los supuestos en que la aplicación de medidas no punitivas no ha resultado adecuada. Debe exigirse, por tanto, una actuación positiva, en el sentido de adoptar aquellas actuaciones preventivas necesarias para evitar, en todo lo posible, la comisión de delitos. Ello, sin embargo, no justifica la no necesidad de regular las normas punitivas que se consideren pertinentes, pues estas resultarán indispensables en caso de incumplimiento de aquellas de naturaleza tutelar.

Incluso, si aceptáramos la postura mayoritaria de entender el principio de subsidiariedad como aquel criterio rector según el cual el Derecho penal debe ser subsidiario del Derecho administrativo sancionador y, por tanto, debe ser la *ultima ratio*, el último recurso, para la protección de un bien jurídico, es posible ser criticado. La defensa de un uso prioritario del Derecho administrativo sancionador para castigar a aquellos individuos que infringen las normas vulnera el principio de separación de poderes defendida desde Locke y Montesquieu y reflejada en el art. 1 CE[194]. Por si no fuera poco, el uso del Derecho

---

administrativo sancionador*, cit., p. 33; Alarcón Sotomayor, L., "Los confines de las sanciones: en busca de la frontera entre Derecho penal y Derecho administrativo sancionador", cit., p. 159; Rebollo Puig, M., "Derecho Penal y Derecho Administrativo sancionador: principios comunes y aspectos diferenciadores", Lozano Cutanda, B. (dir.), *Diccionario de sanciones administrativas*, Ed. Iustel, 2010, p. 329; Cano Campos, T., "El concepto de sanción y los límites entre el Derecho penal y el Derecho administrativo sancionador", cit., p. 228; Rando Casermeiro, P., *La distinción entre el Derecho penal y el Derecho administrativo sancionador. Un análisis de política jurídica*, cit., pp. 206-208, aunque refiriéndose al principio de fragmentariedad.

[193] Alarcón Sotomayor, L., "Los confines de las sanciones: en busca de la frontera entre Derecho penal y Derecho administrativo sancionador", cit., p. 158.

[194] En este sentido, vid. Merkl, A., *Teoría general del Derecho administrativo*, cit., 343; Parada Vázquez, R., "El poder sancionador de la Administración y la crisis del sistema judicial penal", cit., 45 y ss.; Alarcón Sotomayor, L., *El procedimiento*

administrativo sancionador en lugar del Derecho penal tiene graves consecuencias en relación con las, ya mencionadas, menores garantías para los acusados.

En cualquier caso, el principio de subsidiariedad, por tanto, tampoco es capaz de conformar los límites entre el Derecho penal y el Derecho administrativo sancionador. De hecho, se ha defendido que en realidad la mayor aportación que puede derivar de tal principio es en relación con su vertiente positiva, al exigirse la necesidad de adoptar aquellas medidas preventivas necesarias a fin de evitar hacer uso del *ius puniendi* del Estado o procurar hacer el menor uso posible del mismo.

El tema, por tanto, no es tanto si el Derecho penal es el mal menor como si es posible prescindir de una determinada amenaza de pena (o sanción), en tanto quepa esperar efectos preventivos similares a través del uso de medios menos lesivos. No se trata aquí de la subsidiariedad de sistemas punitivos sino de sanciones más graves respecto de las menos graves. Ello podría corresponderse a lo que parte de la doctrina ha venido a denominar como la manifestación interna del principio de subsidiariedad[195] si bien está también íntimamente ligado con una cuestión más de proporcionalidad[196], lo que nos lleva al último de los principios que conforman el principio de proporcionalidad en sentido amplio: el principio de proporcionalidad en sentido estricto, según el

---

administrativo sancionador y los derechos fundamentales, cit., p. 139. También, aunque no lo exprese con tanta rotundidad, Quintero Olivares, G., *Parte general del Derecho Penal*, cit., p. 72.

[195] En este sentido se ha pronunciado Silva Sánchez, J M., *Aproximación al Derecho penal contemporáneo*, cit., p. 395; Luzón Peña, D., *Lecciones de Derecho penal. Parte general*, cit. p. 22, si bien este último autor solo refiriéndose a sanciones penales.

[196] Así lo entiende Wohlers, W., "Derecho penal como *ultima ratio*. ¿Principio fundamental del Derecho penal de un Estado de Derecho o principio sin un contenido expresivo propio?", cit., p. 128. También Seber, G., "¿Puede ser «subsidiario» el Derecho Penal? Aporías de un principio jurídico «indiscutido»", cit., pp. 137-138, quien citando a Ebert dice: "La finalidad de protección de esta norma debe ser tan importante que exigir pena para su aseguramiento, al menos, sea legítimo. Por tanto, si la norma de comportamiento quiere impedir un desvalor social lo suficientemente importante, éste justifica la norma penal. no siendo el desvalor de esta entidad, la ineficacia de un medio más leve tampoco puede legitimar la pena".

cual la gravedad de la pena ha de ser proporcional a la gravedad del injusto[197].

El principio de proporcionalidad, sin embargo, tampoco puede ayudarnos en la tarea de delimitar, encontrar límites, entre el Derecho penal y el Derecho administrativo sancionador[198]. Evidentemente la respuesta sería distinta si partiéramos de la idea de que la prisión es la sanción a imponer ante cualquier incumplimiento de una norma penal. Entonces, todo aquel comportamiento típico que según el principio de proporcionalidad no fuera merecedor de una pena de prisión debería ser considerado extramuros del Derecho penal. La realidad, sin embargo, es bien distinta. Luego, el principio de proporcionalidad nos dirá que no es posible castigar con pena de prisión, por ejemplo, a aquel que estaciona su vehículo de forma indebida y que seguramente es suficiente con la imposición de una multa, pero difícilmente podrá concretar si la misma debe tener naturaleza penal o administrativa.

5. LA RENUNCIA A LA BÚSQUEDA DE LÍMITES Y SUS CONSECUENCIAS.

Llegados a este punto, el resultado de la imposibilidad de encontrar criterios útiles que sirvan para delimitar el uso del Derecho penal frente al Derecho administrativo sancionador debe ser la renuncia a su búsqueda, pues se ha constatado que existen importantes divergencias entre ambos sistemas punitivos tendentes, principalmente, al relajamiento de las garantías en el Derecho administrativo sancionador.

En su lugar, en el presente trabajo, la tesis que se defiende es la de una mayor expansión del Derecho penal en detrimento del uso del

---

[197]   Si bien la doctrina no se pone de acuerdo en donde debe situarse el principio de proporcionalidad, lo que si se acepta por unanimidad es su contenido. Sobre ello, vid. Aguado Correa, T., *El principio de proporcionalidad en Derecho penal*, cit., p. 275 y ss.

[198]   Aunque para el presente trabajo no es necesario exponer las críticas que se han versado sobre su potencialidad para limitar el uso del Derecho penal, vid., por ejemplo, Neumann, U., "El principio de proporcionalidad como principio limitador de la pena", Robles Planas, R. (ed.), *Límites al Derecho penal. principios operativos en la fundamentación del castigo*, Ed. Atelier, 2012, pp. 206-210.

Derecho administrativo sancionador. De hecho, según la postura que más adelante se desarrollará, la regla general debería ser la aplicación del Derecho penal[199] y el administrativo sancionador debería relevarse a un papel secundario: para los casos en que realmente el sistema de justicia penal se considere inadecuado para resolver el problema planteado. Se está pensando, por ejemplo, en materias en que se precisa de un nivel de especialización muy importante o supuestos en que es patente que de lo que se trata es de un supuesto de autotutela de la Administración.

La sanción penal puede también plantearse como de aplicación subsidiaria. Es decir, en algunos casos, a pesar de que se considere que la tipificación de una conducta como delictiva es necesaria, la respuesta del sistema de Justicia Penal no tiene por qué existir como tal; de hecho, puede llegar a ser contraproducente para la víctima del delito, por lo que solo debería activarse en un segundo plano, en defecto de otros mecanismos, cuando estos no den una respuesta adecuada al problema planteado. En este sentido, son diversos los ilícitos penales en que desde la doctrina penal se defiende que la imposición de una pena no es, en muchas ocasiones, adecuada. Así, los delitos contra el honor, las relaciones familiares o algunos más modernos como los matrimonios forzados[200] o el *stalking*.

Sobre este último, recientemente se han publicado algunos estudios empíricos en los que se ha analizado este fenómeno en España, así como la adecuación de su tipificación como delito. Entre los diversos trabajos que se han realizado, Villacampa y Pujols han puesto de manifiesto la conveniencia de la inclusión de un delito de *stalking* en el ordenamiento jurídico-penal español[201]. Según las autoras del estudio, las conductas de *stalking*, junto con el hecho de tener una elevada prevalencia entre la población joven (del 40%)[202], provocan efectos

---

[199]   Mantienen una posición similar gran parte de la doctrina administrativista. Entre otros, Parada, Martín-Retortillo, Alarcón, Rebollo o Cano Campos.

[200]   Sobre ello, vid. Salat Paisal, M., "Derecho penal y matrimonios forzados. ¿Es adecuada la actual política criminal?" *Política Criminal*, vol. 15, núm. 29, 2020.

[201]   Vid. Villacampa Estiarte, C. / Pujols Pérez, A., "Prevalencia y dinámica de la victimización por *stalking* en población universitaria", en *Revista Española de Investigación Criminológica*, núm. 15, 2017, p. 22.

[202]   Vid. Villacampa Estiarte, C. / Pujols Pérez, A., "Prevalencia y dinámica de la victimización por *stalking* en población universitaria", cit., p. 22.

negativos en las personas que lo padecen hasta el punto que más del 50% de las víctimas de *stalking* dicen sufrir miedo[203], además de distintos problemas de carácter psicológico, como dificultades para concentrarse, pérdida de confianza en ellas mismas, ansiedad, insomnio e incluso depresión o ataques de pánico[204]. No obstante, a pesar de que los estudios empíricos que se han realizado tanto en España como en otros países concluyen la necesidad de regular un tipo penal de *stalking*[205], no está tan claro cuál debe ser la respuesta penal a este tipo de conductas[206]. En efecto, los datos muestran que un elevado número de víctimas no consideran que el *stalking* deba ser regulado como un delito, si bien este porcentaje varía según el tipo (la gravedad básicamente) de experiencia padecida[207]. Es más, muchas víctimas de *stalking* no denuncian los hechos acaecidos ante la policía. En este sentido, los datos muestran como aproximadamente, en el mejor de los casos, menos de un tercio de las víctimas acuden a la policía para denunciar el acoso padecido por parte de sus ofensores[208]. De hecho,

---

[203] Vid. Villacampa Estiarte, C. / Pujols Pérez, A., "Stalking: efectos en las víctimas, estrategias de afrontamiento y propuestas legislativas derivadas", en Indret, 2/2017, pp. 11-12.

[204] Vid. Villacampa Estiarte, C. / Pujols Pérez, A., "Stalking: efectos en las víctimas, estrategias de afrontamiento y propuestas legislativas derivadas", cit., pp. 13-16.

[205] En este sentido se postulan, entre otros, Finch, E., *The criminalisation of stalking: constructiong the problema and evaluating the solution*, Cavendish Publishing Limited, London, 2001, p. 254-256 y 260; Dutton, L. / Winstead, B., "Types, frequency, and effectiveness of response to unwanted pursuit and stalking", *Journal of Interpersonal Violence*, vol. XX (X), 2010, p. 22. Su regulación como delito, además, deviene preceptiva con la ratificación por parte de España del Convenio del Consejo de Europa sobre prevención y lucha contra la violencia contra las mujeres y la violencia doméstica, de 11 de mayo de 2011.

[206] De hecho, en uno de los estudios realizados por Villacampa y Pujols se apunta que ni tan solo es del todo claro qué concretas conductas de *stalking* deberían incriminarse. Al respecto, vid. Villacampa Estiarte, C. / Pujols Pérez, A., "Prevalencia y dinámica de la victimización por *stalking* en población universitaria", cit., pp. 22-23. También, Salat Paisal, M., "Sanciones aplicables a manifestaciones contemporáneas de violencia de género de escasa gravedad: el caso de stalking", *Indret*, 1/2018.

[207] Vid., Budd, T. / Mattinson, J., *The extent and nature of stalking: findings from the 1998 British Crime Survey*, Home Office, London, 2000, pp. 49-50.

[208] Así, según Budd, T. / Mattinson, J., *The extent and nature of stalking: findings from the 1998 British Crime Survey*, cit., pp. 50-51, en el Reino Unido solo el 33% de las víctimas acudió a la policía. Incluso, entre aquellas que consideraron

la doctrina dominante considera que el mayor valor que tiene incriminar las conductas de *stalking* es poder dar una respuesta rápida al problema, más que el hecho de que se inicie un proceso penal y se acabe condenando al autor del delito[209], por lo que es necesario buscar alternativas a la imposición de una pena de prisión[210].

Además, defender el Derecho penal como *prima ratio* es más acorde con las exigencias constitucionales que la aceptación del actual sistema punitivo español. De hecho, en algunas de sus sentencias[211], el TC ha reconocido que "[...] la potestad sancionadora debería constituir un monopolio judicial y no podría estar nunca en manos de la Administración", si bien luego ha reconocido casi sin límites el poder sancionador de la Administración.

La expansión del Derecho penal, además, no es contraria a las tesis, mayoritarias en la actual doctrina penal española, que defienden

---

que el stalking como un delito solo acudieron a la policía en un 56% de los casos. En una encuesta realizada en Portugal en 2011, acudieron a la policía menos de un 20% de las víctimas de stalking. Vid. Matos, M. (coord.) / Grangeia, H. / Ferreira, C. / Azevedo, V., *Inquérito de Victimição por Stalking. Relatório de Investigação*, Universidade do Minho, 2011, p. 56-57. En España, según Villacampa Estiarte, C. / Pujols Pérez, A., "Stalking: efectos en las víctimas, estrategias de afrontamiento y propuestas legislativas derivadas", cit., p. 22, solo un 19% de las víctimas denuncian los hechos a la policía. Solo en un estudio realizado en EEUU revelan porcentajes de hasta el 50%, si bien en estos casos lo que se preguntaba era el número de víctimas que había dicho a su acosador que había puesto una denuncia ante la policía, sin que tal afirmación conlleve que efectivamente se hubiera acudido a ella. Al respecto, vid. Tjaden, P. / Thoennes, N., *Stalking in America: findings from the National Violence Against Women Survey*, US Department of Justice, Washington DC, 1998, p. 9. En un estudio realizado a víctimas de stalking mujeres a nivel europeo publicado en 2014 el porcentaje llegó hasta el 26%, tal como pude verse en FRA – European Union for Fundamental Rights, *Violence against women: an EU-wide Survey. Main results*, cit., p. 91.

[209] Al respecto, vid. Van der Aa, S., *Stalking in the Netherlands: Nature and prevalence of the problem and the effectiveness of anti-stalking measures*, cit., p. 129 y la bibliografía allí citada. En un sentido similar, vid. Finch, E., *The criminalisation of stalking: constructiong the problema and evaluating the solution*, cit., 260, quien afirma que la vía penal sirve para poder imponer algún tipo de orden de alejamiento que prohíba al sujeto acercarse a la víctima del delito.

[210] De esta opinión, también, Villacampa Estiarte, C. / Pujols Pérez, A., "Stalking: efectos en las víctimas, estrategias de afrontamiento y propuestas legislativas derivadas", cit., p. 30.

[211] Vid., por ejemplo, la STC 77/1983, de 3 de octubre.

un uso menor del Derecho penal a favor de otros mecanismos alternativos[212]. Aunque formalmente el medio utilizado sea distinto, la postura aquí defendida no es contraria al objetivo buscado por estas teorías; esto es, la de considerar la pena como el último remedio[213]. Uno de los máximos exponentes contemporáneos es, sin duda, Ferrajoli. Según este, el Derecho penal solo se justifica en tanto es capaz de minimizar la violencia, venga de donde venga, o en sus palabras: "Un sistema penal – puede decirse – está justificado únicamente si la suma de las violencia – delitos, venganzas y puniciones arbitrarias – que puede prevenir es superior a la de las violencias constituidas por los delitos no prevenidos y por las penas para ellos conminadas"[214], algo que no se discute y que justamente es la principal preocupación de quien escribe estas palabras.

Lo que sí se discute es que la mejor opción para ello sea la reducción de los ilícitos penales en favor del uso del Derecho civil o el Derecho administrativo sancionador[215]. Acudir al Derecho administrativo sancionador o al Derecho civil no es la mejor forma de minimizar la violencia estatal. Justamente el uso del Derecho administrativo sancionador provoca una relajación de las garantías materiales y procesales a las que se refiere Ferrajoli[216] y que según él debe evitarse[217]. En un sentido similar, desde la Escuela de Frankfurt se argumenta que la expansión del Derecho penal puede provocar un relajamiento de las

---

[212] Se incluyen aquí totas aquellas teorías o propuestas de política criminal que tienden a reducir el uso del Derecho penal que bien podrían integrarse dentro del grupo de teorías garantistas. Desde la teoría del Derecho penal mínimo a cualquier otra manifestación basada en la idea del principio de *ultima ratio* del Derecho penal.

[213] Así lo define Silva Sánchez, J M., *Aproximación al Derecho penal contemporáneo*, cit., p. 43.

[214] Ferrajoli, L., *El paradigma garantista. Filosofía crítica del Derecho penal*, Ed. Trotta, 2018, p. 57. También, Ferrajoli, L., *Democracia y garantismo*, Ed. Trotta, 2010, p. 194.

[215] Cfr. Ferrajoli, L., *El paradigma garantista. Filosofía crítica del Derecho penal*, cit., p. 98, quien aboga por la reducción de la intervención penal al mínimo necesario, lo que, según él, con ello se refuerza además la legitimidad y fiabilidad del Derecho penal.

[216] Entre sus distintas obras, vid. Ferrajoli, L., *Democracia y garantismo*, cit., p. 193.

[217] vid. Ferrajoli, L., *Democracia y garantismo*, cit., p. 193.

garantías del Estado de Derecho[218]. No obstante, si se reduce el número de delitos significa, tal como reconocen Ferrajoli o Hassemer, que estos pasen a ser regulados como infracciones administrativas. Luego, si estos ilícitos pasan a estar regulados bajo el paraguas del Derecho administrativo sancionador significa que las normas sustantivas y procesales a aplicar serán las administrativas y no las penales, por lo que indirectamente se provoca que un elevado número de infracciones dejen de estar amparadas por las tan importantes garantías que sí rodean el Derecho penal sustantivo y procesal. La despenalización, pues, no soluciona aquello que estos pretenden evitar, solo traslada el problema al ámbito del Derecho administrativo sancionador a la par que se incrementa la arbitrariedad y se produce una relajación y pérdida de garantías inimaginable en el seno del Derecho penal[219].

Se ha criticado también que la expansión del Derecho penal provoca que este sea menos eficiente y menos creíble[220], que implica una administrativización del Derecho penal[221] o que tiene efectos negativos para con los fines de las penas[222]. Frente al argumento de la ineficacia del Derecho penal ya se ha contestado *supra* que los datos ofrecen una respuesta contraria. El Derecho penal de nuestros días, a pesar de que vivimos una gran expansión de su ámbito de aplicación, no es menos eficiente que el Derecho administrativo sancionador. La credibilidad del sistema, ligada a la eficiencia, tampoco puede ser más cuestionada que la de otros sistemas punitivos. Es este, además, un problema que está más ligado a otras cuestiones que al hecho de que ilícitos de gravedad leve o intermedia sean considerados de naturaleza penal o administrativa, como la confianza del sistema por parte de la ciudadanía, la amenaza de pena o la probabilidad de ser condenado. Respecto a la administrativización del Derecho penal, es este un argumento

---

[218]   Roxin, C., *Derecho penal. Parte general*, cit., pp. 61-62.
[219]   Sobre ello, vid. *supra* algunos de los argumentos que se han aportado al debate.
[220]   Así Ferrajoli, L., *Democracia y garantismo*, cit., p. 202.
[221]   Entre otros, García Arán, M., "Despenalización y privatización: ¿tendencias contrarias", Arroyo Zapatero, L. A. / Nieto Martín, A. / Neumann, F. (coords.), *Crítica y justificación del Derecho penal en el cambio del siglo: el análisis crítico de la Escuela de Frankfurt*, Ed. Universidad de Castilla- La Mancha, 2003, p. 193., quien añade otros problemas como la difuminación de los contornos del Derecho penal o la pérdida del carácter formalización de este.
[222]   Huergo Lora, A., *Las sanciones administrativas*, cit., p. 167.

que se basa en otra idea preconcebida relativa a que el Derecho penal debe ser el mínimo. No obstante, con la misma validez podría decirse que lo que está sucediendo es una vuelta al Derecho penal de aquello que temporalmente se había ocupado el Derecho administrativo sancionador. Además, nadie puede dudar de que en las últimas décadas se ha producido también una expansión del Derecho administrativo sancionador – mucho mayor aún que la del Derecho penal – sin que ello haya supuesto una reducción del Derecho penal, ni tampoco una mejoría de los contornos o el carácter formal del Derecho penal.

Como reiteradamente se ha indicado a lo largo de la presente investigación, el principal problema que plantea el Derecho penal, en realidad, es solo respecto a una parte de él. Por un lado, la pena de prisión y, por otro, las consecuencias sociales que sobre todo en delitos en los que existe un consenso social de su antijuridicidad acompañan al investigado, acusado y finalmente condenado.

Respecto a la pena de prisión, no hay duda de que, a pesar de que en su día se instauró como la pena más humanitaria, es necesario, en pleno S. XXI, replantear su uso generalizado, de modo que la misma pase a ocupar un papel secundario[223]; si se quiere, más aún de lo que lo es en la práctica penal[224]. Así las cosas, si se extrae de la idea del Derecho penal las penas privativas de libertad, las diferencias con el Derecho administrativo en términos sancionatorios son muy relativas, pero aun así el Derecho penal continúa siendo mucho más garantista que lo que es el Derecho administrativo sancionador.

La expansión del Derecho penal, por tanto, tiene que partir de una premisa básica: el Derecho penal no es sinónimo a la imposición de una pena privativa de libertad. Es más, su expansión debe ir acompañada de una reducción del uso de la pena de prisión. El Derecho penal español debe, en palabras de Cid, europeizarse, que las alternativas

---

[223] En este mismo sentido, vid. Ferrajoli, L., *Democracia y garantismo*, cit., p. 204.

[224] En el Libro II del Código Penal continúa teniendo un papel central, pues la mayoría de delitos están castigados con pena de prisión y que las alternativas solo juegan un verdadero papel cuando juegan como reglas de suspensión de la prisión. En la práctica, en cambio, ya se ha indicado *supra* que las alternativas a la prisión están jugando un papel central en la resolución de los conflictos penales.

a la pena de prisión sean la pena principal y más habitual[225]. Esta justamente, tal como se ha indicado *supra*, es la tendencia que parece, aunque sea a un ritmo lento, está tomando el sistema de justicia penal español. Desde la doctrina, se plantea incluso un cambio importante en lo que a la ejecución de la pena de prisión se refiere, de modo que con carácter general las penas de prisión menos graves se ejecuten en régimen abierto[226]. De hecho, según se desprende de los datos publicados, el número de condenados que están cumpliendo pena de prisión en régimen abierto en España es muy bajo[227] a diferencia de lo que sucede en los países del norte de Europa (hasta el 60%)[228]. En este sentido, un paso más hacia esta europeización de la política penitenciaria puede encontrarse en el hecho de que el Gobierno catalán haya iniciado un proceso piloto a través del que se pretende que los condenados a penas de hasta cinco años de prisión, siempre que a su vez se cumplan una serie de requisitos, sean clasificados inicialmente en tercer grado. Por lo que parece, pues, aunque poco a poco, se está avanzando hacía la idea aquí defendida[229].

Deben, igualmente, realizarse cambios importantes en la concepción del Derecho penal procesal, a fin de evitar que la expansión del Derecho penal, o, mejor dicho, la vuelta al Derecho penal de lo que nunca debiera sido regulado a través del Derecho administrativo sancionador, produzca un colapso del sistema de justicia penal que

---

[225] Cid Moliné, J., "El futuro de la prisión en España", *Revista Española de Investigación Criminológica*, núm. 18, 2020, p. 23 y ss.

[226] Martí Barrachina, M. / Larrauri, E., "Una defensa de la clasificación inicial de las penas cortas en régimen abierto", *Revista Española de Investigación Criminológica*, vol. 18, 2020.

[227] Según indican Martí Barrachina, M. / Larrauri, E., "Una defensa de la clasificación inicial de las penas cortas en régimen abierto", cit., p. 4, actualmente solo el 15,6% de los presos están clasificados en tercer grado. En Cataluña los datos mejoran y los clasificados en tercer grado llegan al 24,5%.

[228] En este sentido, vid. Martí Barrachina, M., "Prisoners in the community: the open prison model in Catalonia", *Nordisk Tidsskrift for Kriminalvidenskab* 2/2019.

[229] Sobre ello, vid. Instrucció 5/2020, sobre l'aplicació del Protocol d'ingrés i clasificació en centres oberts de Catalunya, de la Secretaria de Mesures Penals, Reinserció i Atenció a la Víctima. También, a nivel de la AGE parece que se está acudiendo hacia esta posibilidad según se desprende de la Instrucción 6/2020 de Instituciones penitenciarias.

conlleve su ineficiencia, falta de credibilidad y, en el fondo, la imposibilidad de cumplir con su fin. Para ello, deben buscarse mecanismos
jurídico-penales que permitan una relajación de las formalidades del
Derecho penal, sin que ello suponga una pérdida de garantías para el
investigado. Tal postura parte de una constante en los últimos años en
el Derecho procesal penal español, cual es la disminución de las formalidades procedimentales a través de la creación de procedimientos
más simples y ágiles[230], hasta el punto que hay estudios que indican
que aproximadamente el 75% de los procedimientos terminan con
sentencia de conformidad[231] y ello a pesar de que el sistema procesal penal español se basa en el principio de legalidad. En Derecho
comparado la cuestión es todavía más relevante y algunos ordenamientos jurídicos prevén múltiples posibilidades con el fin de dar una
solución más rápida a los casos que llegan a los tribunales penales.
De hecho, la última propuesta de Código Procesal Penal[232] parece
que sigue esta tendencia, a través de la introducción del principio de
oportunidad reglada en el proceso penal. La intención, según se refleja
en la Exposición de motivos y en el texto articulado aprobado por
el pre-legislador, es introducir mecanismos que permitan reducir o
no enjuiciar unos hechos delictivos en casos que se considera que no
existe necesidad de pena.

Igualmente, tiene sentido que se plantee una alternativa – no ya
al proceso penal – sino al propio Derecho penal para dar respuesta
a los casos enunciados *supra* en los que se considera que, a pesar de
que una conducta debe ser tipificada como delictiva, la respuesta del
sistema de justicia no se adecúa a las necesidades de las víctimas de
estos delitos.

Con el propósito de esbozar una propuesta en la que se tengan
en cuenta las posibles críticas frente al expansionismo del Derecho

---

[230] Piénsese desde el procedimiento abreviado, pasando por el rápido, la conformidad o la creación del proceso por aceptación de decreto, introducido mediante la
Ley 41/2015, de 6 de octubre, de modificación de la Ley de Enjuiciamiento Criminal para la agilización de la justicia penal y el fortalecimiento de las garantías
procesales.

[231] Vid. Varona Gómez, D., "La suspensión de la pena de prisión: razones de una
historia de éxito", cit., p. 27.

[232] El Anteproyecto de Código Procesal Penal al que se hace alusión es el anunciado
por el Ministerio de Justicia en noviembre de 2020.

penal y puesto que se ha indicado que en el Derecho comparado este tipo de medidas tienen un arraigo importante, en el siguiente capítulo se realizará un análisis del Derecho comparado para después – en el capítulo IV – poder sugerir una propuesta legislativa aplicable al Ordenamiento jurídico-penal español que tenga en cuenta la experiencia comparada.

Capítulo III:

LAS SOLUCIONES PREVISTAS EN DERECHO COMPARADO.

1. INTRODUCCIÓN.

Actualmente, la previsión de soluciones alternativas al proceso penal es una realidad extendida en muchos países[233]. En las páginas que siguen, se realizará un análisis descriptivo de los mecanismos alternativos al proceso penal existentes en derecho comparado. En concreto, se desarrollará un análisis de la regulación de los principales países europeos, con una especial incidencia al derecho inglés, entre los que se encuentran ordenamientos jurídicos sometidos al principio de legalidad y otros, en cambio, al de oportunidad. El hecho de conocer cuáles son las alternativas en ambos modelos es interesante, no solo por la mayor riqueza en las distintas opciones, sino también porque conduce a constatar cómo algunas veces las diferencias son más teóricas que prácticas. Igualmente, junto con el análisis de las alternativas al proceso previstas en los Países Bajos, Francia, Alemania, Italia y el Reino Unido, se hará una específica referencia, si es el caso, a las alternativas al Derecho penal previstas en estos países para los casos de *Stalking*. La idea es utilizar este delito como ejemplo para comprobar las posibilidades que ofrece el Derecho comparado para evitar, a pesar de que formalmente se ha cometido un delito, la aplicación del mismo Derecho penal.

---

[233] Vid., entre otros, J. Fionda, *Public prosecutors and discretion: a comparative study*, Ed. Clarendon, Oxford, 1995; Ö. Sevdiren, *Alternatives to imprisonment in England and Wales, Germany and Turkey*, Ed. Springer, London, 2011; P. J. P. Tak, "Methods of diversion used by the prosecution services in the Netherlands and other western European countries", en *UNAFEI. Resource Material Series*, 2008, pp. 53-64.

2. LAS ALTERNATIVAS AL PROCESO PENAL PREVISTAS EN LOS PAÍSES BAJOS.

El sistema procesal neerlandés se basa en el principio de oportunidad, lo que facilita que puedan observarse diversos mecanismos alternativos al proceso penal. En este sentido, se permite que el Ministerio Público no acuse en caso de que considere que de llevar adelante la acusación el resultado final no va a terminar en condena, bien sea por motivos técnicos, de procedimiento o por falta de pruebas suficientes. Igualmente, se permite renunciar a la acusación por razones de interés público. En este segundo supuesto, el Ministerio Público puede condicionar la suspensión de la acusación e imponer, en su lugar, condiciones similares a las que se imponen en los supuestos de penas suspendidas en dicho país[234]. Según Tak, los principales motivos para considerar que existen razones de interés público para no iniciar o proseguir con una acusación formal se deben, entre otros, a que existen medidas de naturaleza no penal preferibles a éstas, que la acusación puede ser desproporcionada, injusta o inefectiva, que el delito es menor, que el delito es antiguo en el tiempo, que el sospechoso es muy joven o muy mayor, que las condiciones de salud del sospechoso no lo aconsejan o que el sospechoso ha reparado el daño a la víctima[235].

Otra alternativa al proceso penal en los Países Bajos es la institución denominada *transaction*[236]. Esta alternativa puede ofrecerse para aquellos delitos castigados con penas de prisión de hasta 6 años, según el art. 74 del CP de los Países Bajos. La alternativa, en caso de ser aceptada por el sospechoso, supone el cumplimiento de alguna de las obligaciones establecidas en el propio Código Penal, consistentes en el pago de una multa, el decomiso de los bienes, la compensación de los daños ocasionados o la realización de trabajos en beneficio de la comunidad por un periodo máximo de hasta 120 horas[237]. La acep-

---

[234]   Vid. P. J. P. Tak, *The Dutch Criminal justice system*, Ed. Wolf Legal, 2008, p. 84.

[235]   Vid. P. J. P. Tak, *The Dutch Criminal justice system*, ob. cit., pp. 85-86.

[236]   Vid. C. Harding / G. Dingwall, *Diversion in the Criminal Process*, Ed. Sweet & Maxwell, Mytholmroyd, 1998, p. 134.

[237]   Tal como indica, P. J. P. Tak, *The Dutch Criminal justice system*, ob. cit., p. 88, a pesar de que legalmente se otorga una amplia discrecionalidad al Ministerio Público a la hora de decidir por esta vía, el Comité General de la Fiscalía holandesa

tación de la *transaction* implica que el sospechoso renuncia a las garantías inherentes del debido proceso, pero a cambio evita un proceso público. La alternativa impuesta, además de ser menor a la sanción legalmente establecida, no tiene consideración de pena y por tanto no es registrada a efectos de antecedentes penales[238]. Esta forma alternativa al proceso, según datos de 2008, es usada en más del 33% de los casos en los Países Bajos.

En el año 2006, el Parlamento neerlandés aprobó una reforma del Código Procesal Penal a través de la cual se incorporó una nueva institución llamada *punishment order* regulada en el art. 257a Código Procesal penal y que puede imponerse en los mismos supuestos que la anterior *transaction*[239]. Esta nueva sanción es impuesta por el Ministerio Fiscal a través de un proceso sumario y unilateral, sin la participación de los tribunales[240] ni tampoco del acusado y, a diferencia de la *transaction*, supone la imposición de una sanción y la consideración del acusado como culpable[241]. La *punishment order*, al igual que la *transaction*, puede consistir en la imposición de una multa, trabajos en beneficio de la comunidad[242], el decomiso de los bienes, el pago de la responsabilidad civil y también en la suspensión del permiso de conducir por un tiempo de hasta 6 meses[243].

Como alternativa al propio Derecho penal, el Ordenamiento jurídico neerlandés prevé para determinados delitos, como los relacionados con la violencia de género o el *stalking*, la posibilidad de acordar una orden de protección de naturaleza civil a través de un procedimiento independiente[244]. Esto implica que la víctima puede pedir a los

---

ha creado unas directrices con el objetivo de reducir las posibles arbitrariedades en su utilización.

238 Vid. P. J. P. Tak, *The Dutch Criminal justice system*, ob. cit., p. 88.
239 Vid. T. Kooijmans, "The extrajudicial disposal of criminal cases", en M. Groenhuijsen / T. Kooijmans (eds.), *The reform of the Dutch Code of Criminal Procedure in comparative perspective*, Ed. Martinus Nijhoff, Leiden, 2012, pp. 81-82.
240 Existe la posibilidad, empero, de recurrir la decisión del fiscal ante los tribunales. Vid. art. 257e Código Procesal penal neerlandés.
241 Vid. P. J. P. Tak., *The Dutch Criminal justice system*, ob. cit., p. 89; T. Kooijmans, "The extrajudicial disposal of criminal cases", ob. cit., p. 98.
242 En este caso en hasta 180 horas.
243 Vid. art. 257a Código Procesal penal neerlandés.
244 En este sentido, vid. Van der Aa, S., "Protection orders in the European member states: where do we stand and where do we go from here", en *European Journal*

tribunales civiles que se acuerde una orden de protección, que incluso puede llegar a ser de duración indeterminada[245], sin que se requiera el inicio de un proceso de naturaleza penal contra el perpetrador del hecho posiblemente delictivo. Ello permite que la víctima no tenga que acudir a la policía, evita estigmatizar al sujeto activo - sobre todo cuando este es alguien próximo – y además las órdenes se ventilan a través de un proceso sumarísimo[246]. En este caso, sin embargo, la víctima deberá hacerse cargo de los gastos del proceso civil.

3. LAS ALTERNATIVAS AL PROCESO EN LA REGULACIÓN FRANCESA.

La legislación francesa regula una suerte de *transaction* neerlandesa o *penal order* alemana. La institución, llamada *composition pénale*, otorga la facultad al Ministerio Fiscal, o al cuerpo de policía en que delegue las funciones, de proponer el cumplimiento de una o varias medidas, tales como, entre otras, el pago de una multa, el decomiso de los bienes, la retirada del permiso de conducir, efectuar trabajos en beneficio de la comunidad, realizar cursos de formación o reinserción o la prohibición de comunicarse con coautores[247]. Esta composición penal puede ofrecerse ante sujetos que hayan reconocido la comisión de uno o varios delitos castigados con una pena de multa o

---

of Criminal Policy and Research, vol. 18, 2012, p. 192; van der Aa, S. / Niemi, J. / Sosa, L. / Ferreira, A. / Baldry, A., *Mapping the legislation and assessing the impact of Protection Orders in the European Member States*, Wolf Legal Pubilishers, 2015, p. 61.

[245] Al respecto, vid. van der Aa, S., *Mapping the legislation and assessing the impact of Protection Orders in the European Member States. National Report The Netherlands*, POEMS, pp. 14-15. Disponible electrónicamente en http://poems-project.com/wp-content/uploads/2015/02/Netherlands.pdf [última visita: 09/01/2021]. En este informe se indica también que la duración media es de aproximadamente unos 11 meses.

[246] Vid., vid. van der Aa, S., "Protection orders in the European member states: where do we stand and where do we go from here", cit., p. 199. También van der Aa, S., *Mapping the legislation and assessing the impact of Protection Orders in the European Member States. National Report The Netherlands*, cit., p. 10, quien indica que el procedimiento dura aproximadamente unos 30 o 60 minutos.

[247] Vid. J. Pradel, *Procédure pénale*, 15ª ed., Ed. Cujas, Paris, 2010, pp. 492-493.

de privación de libertad de hasta 5 años[248]. El sospechoso, asistido de letrado, debe dar su consentimiento a la composición penal. En caso de aceptación, el fiscal informará del acuerdo al tribunal quien podrá solicitar la celebración de una vista para confirmar su imposición o decidir no validarla[249]. La aceptación y cumplimiento de las condiciones impuestas imposibilitará el inicio de un nuevo proceso penal por los mismos hechos, aunque sí que reserva la posibilidad a la víctima, en caso de no ser indemnizada vía la composición penal, de reclamar responsabilidad civil. Además, a diferencia del proceso de mediación, la sanción impuesta computará a efectos de antecedentes penales[250].

Finalmente, existe también la posibilidad de iniciar un proceso de conformidad que ponga fin anticipadamente al proceso penal. Este proceso, regulado en los arts. 495-7 y ss. del CPP francés, puede aplicarse ante la comisión de delitos – no crímenes ni tampoco contravenciones – y supone la imposición de una pena que en ningún caso puede ser superior a 1 año de prisión.

4. LAS ALTERNATIVAS EN ALEMANIA.

El proceso penal alemán, a diferencia del previsto en los Países Bajos o Francia, está basado, igual que en el caso español, en el principio de legalidad. Ello, en teoría, implica que deben seguirse todas las normas procedimentales y de derecho sustantivo frente a cualquier sospecha de hecho constitutivo de delito.

En la práctica, empero, son numerosos los supuestos en que no se siguen las reglas procedimentales ordinarias. Así, según datos de 2013, del total de hechos en que el Ministerio Público alemán consideró que existía base para acusar, solo en un 20% de los casos decidió finalmente hacerlo. En el 80% restante de los casos optó por alguna de las alternativas que le ofrece la legislación alemana. Aproximadamente

---

[248] Esto supone la posibilidad de incluir supuestos robos, estafa, daños, posesión de drogas o armas ilícitas o delitos contra la seguridad vial. Vid. https://www.service-public.fr/particuliers/vosdroits/F1461 (última consulta: 09/01/2021).

[249] Vid. J. Pradel, *Procédure pénale*, 15ª ed., Ed. Cujas, 2010, pp. 494-495.

[250] Vid. art. 41-2 Código Procesal Penal francés.

en un 23% aplicó una *penal order*, en un 8% una renuncia condicional y el restante aproximadamente 48% por una renuncia incondicional[251]. Así, a pesar de que el principio de legalidad está establecido por la Constitución alemana, la realidad conduce a la previsión de medidas que contradiciendo a dicho principio procuran ahorrar tiempo y dinero al sistema penal alemán.

La renuncia incondicional de la acción por parte del Ministerio Fiscal y, por tanto, también del proceso está regulada en el art. 153 StPO. Su aplicación es posible ante contravenciones[252] - sanciones castigadas con una pena de prisión inferior a 1 año[253] - en aquellos casos en que la fiscalía considere que el hecho cometido es de menor gravedad y no exista un interés público en su persecución. La renuncia puede producirse durante la fase de instrucción o incluso una vez se ha producido la acusación[254] y requerirá de la aprobación del propio sujeto afectado y del tribunal competente. Sin embargo, en los casos en que el delito tenga previsto una pena de hasta 1 mes de prisión no será necesaria siquiera tal autorización[255].

La segunda de las posibilidades recogida en la Ley procesal penal alemana es la renuncia condicional (art. 153a StPO)[256]. En este caso, se permite que el Ministerio Fiscal ante la noticia de la comisión de un hecho calificado como contravención pueda acordar la renuncia con condiciones de la acción penal si con ello se compensa el posible

---

[251]   Vid. los datos y su comparativa en los últimos 20 años en J. Jehle, *Criminal Justice in Germany*, 6ª ed., Federal Ministry of Justice, 2015, p. 21.

[252]   El equivalente a las antiguas faltas penales españolas.

[253]   Vid. art. 12 StGB.

[254]   Vid. art. 153(2) StPO. También, M. Bohlander, *Principles of German Criminal Procedure*, Ed. Hart, Oxford, 2012, p. 108.

[255]   Vid. Ö. Sevdiren, *Alternatives to imprisonment in England and Wales, Germany and Turkey*, ob. cit., p. 153.

[256]   En realidad, el StPO regula otros supuestos de renuncia de la acusación por parte del Ministerio Fiscal en los arts. 153b y ss. para supuestos de delitos cometidos en el extranjero, delitos políticos, en caso de arrepentimiento activo, delitos menores y accesorios a delitos graves, etc. Vid. M. Bohlander, *Principles of German Criminal Procedure*, ob. cit., p. 110; J L. Gómez Colomer, *El proceso penal alemán: introducción y normas básicas, Traducción de la Ley procesal alemana y de sus normas complementarias, Diccionario jurídico procesal-penal (Alemán-Español)*, Ed. Bosch, Barcelona, 1985, p. 70.

interés público en seguir con la acusación[257]. Las condiciones que pueden imponerse como alternativa al proceso son la realización de trabajos dirigidos a reparar el daño causado u otros en beneficio de la comunidad, el pago de una multa, la iniciación de un proceso de mediación o la participación en programas de formación. En estos casos la acusación se suspenderá por un tiempo máximo de 1 año, según el tipo de condiciones impuestas, y en caso de cumplir con las mismas supondrá la definitiva renuncia a la acusación. Al igual que en el supuesto de renuncia incondicional será necesario el consentimiento del sospechoso y del tribunal competente.

La tercera de las alternativas al proceso penal que dispone del Ministerio Fiscal es la relativa a la posibilidad de imponer, en la línea del derecho comparado, una *penal order*[258]. En este caso, el Ministerio Público puede proponer una sanción para los hechos calificados como contravenciones, incluso sin que sea necesario tomar declaración al imputado. La *penal order* puede conllevar la imposición de una multa, la prohibición de conducir, el decomiso o destrucción de los bienes objeto del delito, la publicidad de la sanción, la prohibición de tener animales, o incluso una pena de prisión de hasta 1 año automáticamente suspendida[259]. La sanción es propuesta por el Ministerio Público pero debe ser aceptada tanto por el investigado[260] como por el juez. No se requiere que el sujeto confiese los hechos, pero sí que acepte la pena impuesta[261]. Para ello, la ley procesal alemana otorga un plazo de dos semanas para que el sujeto pueda recurrir la *penal order*; finalizado este plazo la sanción deviene firme[262]. Por su parte,

---

[257] Es posible también ante delitos castigados con penas de hasta 2 años de prisión cuando el autor del delito es consumidor de droga. Vid., al respecto, Ö. Sevdiren, *Alternatives to imprisonment in England and Wales, Germany and Turkey*, ob. cit., p. 153.

[258] Vid. S. C. THaman, "The Penal Order. Prosecutorial sentencing as a model for criminal justice reform?", en E. Luna / M. Wade, *The Prosecutor in Transnational Perspective*, Oxford University Press, Oxford, 2012, pp. 159-160.

[259] Vid. art. 407 StPO y M. Bohlander, *Principles of German Criminal Procedure*, ob. cit., p. 135.

[260] También cuando se es ya acusado, siempre que se cumplan con los requisitos establecidos en el art. 408a StPO.

[261] Vid. S. C. Haman, "The Penal Order. Prosecutorial sentencing as a model for criminal justice reform?", ob. cit., p. 166.

[262] Vid. art. 410 StPO.

el juez, una vez recibida la propuesta de sanción[263], puede rehusar la sanción en aquellos casos en que considere que no se han acreditado los hechos objeto de infracción penal o cuando considere que las consecuencias impuestas no son acordes a la naturaleza de los mismos, tal como se establece en el art. 408(3) StPO[264].

Finalmente, se prevé también la posibilidad de llegar a una conformidad a pesar de que no existe base legal alguna[265].

Por lo que se refiere a las alternativas al propio Derecho penal, la legislación alemana prevé un supuesto específico para casos de violencia contra la mujer y de *stalking*. Este mecanismo se introdujo en 2001, a través de la ley de protección contra la violencia o *Gewaltschutzgesetz* (GeWSchG) y tiene como objetivo mejorar la protección en el ámbito civil de las víctimas de actos de violencia contra la mujer y de *stalking*[266]. De acuerdo con esta ley, en el caso de que se produzca un hecho delictivo de esta naturaleza, la víctima del mismo puede solicitar a los tribunales de familia que acuerden las decisiones necesarias para prevenir la comisión de nuevos ilícitos. Estas medidas tienen prevista una duración máxima de hasta 6 meses prorrogables 6 meses más[267], y pueden consistir en la prohibición de acceder a la vivienda de la persona agraviada, acercarse a la víctima, acudir a determinados lugares habitualmente frecuentados por ésta o establecer contacto con ella de cualquier modo y forma [268]. De acuerdo con el procedimiento establecido a tal efecto, por regla general no será necesario escuchar al ofensor excepto en los supuestos en que este se oponga a la imposición de la orden de protección[269]. Acordada la

---

[263]   Vid. art. 409 StPO en el que se establece el contenido de la propuesta de resolución de la *penal order*.

[264]   Vid. S. C. Haman, "The Penal Order. Prosecutorial sentencing as a model for criminal justice reform?", ob. cit., p. 169.

[265]   Vid. P. J. P. Tak, "Methods of diversión used by the prosecution services in the Netherlands and other western European countries", ob. cit., p. 62.

[266]   Sobre el específico supuesto de *stalking*, vid. art. 1(2).2.b de la mencionada Ley.

[267]   Vid. Schöch, H., *Mapping the legislation and assessing the impact of Protection Orders in the European Member States. National Report Germany*, POEMS, p. 6. Disponible electrónicamente en http://poems-project.com/wp-content/uploads/2015/02/Germany.pdf [última consulta: 15/06/2017].

[268]   El contenido de la orden de protección está estipulado en el art. 1(1) GeWSchG.

[269]   Sobre ello, vid. Schöch, H., *Mapping the legislation and assessing the impact of Protection Orders in the European Member States. National Report Germany*,

medida[270], en caso de que se produzca cualquier tipo de incumplimiento por parte del sujeto activo del delito, la misma ley prevé que ello implique la comisión de un delito de quebrantamiento, castigado con una pena en abstracto de hasta 1 año de prisión, alternativamente con una pena de multa[271]. Este proceso tiene como ventajas, tal como sucede en los Países Bajos, que permite acordar medidas de protección para la víctima sin la necesidad de haber de iniciar un proceso penal contra el agresor , el cual en muchas ocasiones puede ser una persona próxima a la víctima[272].

5. LAS ALTERNATIVAS AL PROCESO EN ITALIA.

Antes de entrar a analizar la legislación de Inglaterra y Gales, en Italia, al igual que en el resto de legislaciones analizadas, se prevén distintos mecanismos alternativos al proceso penal similares a los vistos hasta ahora. Los mecanismos, además de preverse procedimientos simplificados para los delitos menores, son la conformidad (*patteggiamento*) y el *procedimento per decreto*.

Este último conlleva la evitación del procedimiento penal a cambio de la imposición de una multa. El *procedimento per decreto*, equivalente a la *penal order*, solo puede aplicarse por delitos menores (*di lievissima entità*), perseguibles de oficio[273] y siempre que la persona ofendida no se oponga a dicho proceso[274]. El uso de esta alternativa implica la imposición de una pena reducida hasta la mitad de la

---

cit., pp. 5-6.

[270] La medida se acuerda mediante un proceso sumario que acostumbra a durar entre 30 y 60 minutos y que se ventila en un período de entre 1 y 5 días desde el momento de la solicitud de la orden de protección por parte de la víctima. Al respecto, vid. Schöch, H., *Mapping the legislation and assessing the impact of Protection Orders in the European Member States. National Report Germany*, cit., p. 6.

[271] Vid. art. 4 GeWSchG.

[272] vid. Schöch, H., *Mapping the legislation and assessing the impact of Protection Orders in the European Member States. National Report Germany*, cit., p. 6.

[273] Vid. art. 459.1 Código Procesal Penal italiano.

[274] Vid. G. Conso / V. Grevi (dirs.), *Compendio di proedura penale*, 4ª ed., Ed. CEDAM, Padova, 2008, p. 664.

mínima fijada por la ley para el delito que se trate[275]. El Ministerio Público, sin que se requiera ninguna intervención por parte del investigado[276], puede proponer la imposición de una multa en los casos en que se considere que no es adecuada una pena privativa de libertad. En caso de que el decreto sea aceptado por el juez, quien comprueba que existen pruebas suficientes y que la calificación jurídica se adapta a los mismos, dicta resolución condenatoria, sin que pueda modificar la pena propuesta por el Ministerio Público[277]. El sujeto, una vez condenado, tiene 15 días para aceptar o rechazar el decreto propuesto[278]. En caso de impugnarlo, la condena queda suspendida y deberá seguirse el proceso penal, de acuerdo con las reglas procedimentales establecidas por el Código Procesal Penal italiano (art. 461 y ss.)[279].

Igualmente, tal como hemos visto en los ordenamientos jurídicos que previamente se han descrito, el legislador italiano ha regulado un mecanismo alternativo al Derecho penal, en este caso para los casos de *stalking*. De hecho, en el mismo momento en que se introdujo el delito, el legislador tuvo ya en cuenta que la duración de un eventual proceso penal por la comisión del delito tipificado en el art. 612 bis CP italiano podía no ser suficientemente eficaz y ágil para con la protección de las víctimas[280]. Así, con la finalidad de asegurar una mejor protección de las víctimas de acecho predatorio, el Decreto Ley 11/2009, de 23 de febrero, de *Misure urgenti in materia di sicurezza pubblica e di contrasto alla violenza sessuale, nonche' in tema di atti persecutori* convertido posteriormente en la Ley 38/2009, de 23 de abril, por el que se regula el delito de *atti persecutori* en la legislación italiana, introduce un nuevo instrumento especialmente diseñado pa-

---

[275] Vid. art. 459.2 y 460.5 Código Procesal Penal italiano. Además, no conlleva la imposición de penas accesorias, al pago de costas y reduce el tiempo de cancelación de antecedentes penales. En este sentido, Vid. P. Tonini, *Manuale di procedura penale*, 7ª ed., Ed. Giuffrè, Milano, 2006, p. 646; G. Conso / V. Grevi (dirs.), *Compendio di proedura penale*, ob. cit., p. 667.

[276] Vid. P. Tonini, *Manuale di procedura penale*, ob. cit., pp. 645-646.

[277] Vid. P. Tonini, *Manuale di procedura penale*, ob. cit., pp. 647.

[278] Vid. art. 460 Código Procesal Penal italiano. G. Conso / V. Grevi (dirs.), *Compendio di proedura penale*, ob. cit., pp. 664-665.

[279] Vid. P. Tonini, *Manuale di procedura penale*, ob. cit., pp. 647.

[280] En este sentido, vid. Salsi, G., "Stalking: una ricerca sull'ammonimento del qüestore nella provincia di Bologna in riferimento alla Legge 38/2009", en *Rivista di Criminologia, Vittimologia e Sicurezza*, vol. 6, núm. 1, 2012, p. 41.

ra hacer frente a supuestos de este tipo: el *ammonimento*[281], si bien su aplicabilidad se ha visto ampliada a los casos de violencia doméstica tras la entrada en vigor del Decreto Ley 93/2013, de 14 de agosto, convalidado por la Ley 119/2013, de 15 de octubre[282].

Como sucede con otras medidas de carácter no penal previstas en otros ordenamientos jurídicos extranjeros, la imposición de una amonestación no implica el deber de iniciar un proceso penal. Es más, se considera que éste puede ser un instrumento idóneo y suficiente para hacer frente a un importante número de casos de *stalking*, de manera que se evite el iniciar un proceso penal que termine con la condena del *stalker*[283]. Se configura, por tanto, como una medida de prevención, disuasoria, con la finalidad de desalentar al ofensor de continuar con su conducta insidiosa[284]. De hecho, la potencial eficacia de este instru-

---

[281] Art. 8 DL 11/2009 aprobado por el Parlamento italiano: "*1. Fino a quando non e' proposta querela per il reato di cui all'articolo 612-bis del codice penale, introdotto dall'articolo 7, la persona offesa può esporre i fatti all'autorità di pubblica sicurezza avanzando richiesta al questore di ammonimento nei confronti dell'autore della condotta. La richiesta e' trasmessa senza ritardo al questore.*
Il questore, assunte se necessario informazioni dagli organi investigativi e sentite le persone informate dei fatti, ove ritenga fondata l'istanza, ammonisce oralmente il soggetto nei cui confronti e' stato richiesto il provvedimento, invitandolo a tenere una condotta conforme alla legge e redigendo processo verbale. Copia del processo verbale e' rilasciata al richiedente l'ammonimento e al soggetto ammonito. Il questore valuta l'eventuale adozione di provvedimenti in materia di armi e munizioni.
La pena per il delitto di cui all'articolo 612-bis del codice penale e' aumentata se il fatto e' commesso da soggetto già ammonito ai sensi del presente articolo.
Si procede d'ufficio per il delitto previsto dall'articolo 612-bis del codice penale quando il fatto e' commesso da soggetto ammonito ai sensi del presente articolo".

[282] Vid. art. 3 del Decreto ley 93/2013, sobre Disposizioni urgenti in materia di sicurezza e per il contrasto della violenza di genere, nonche' in tema di protezione civile e di commissariamento delle province. Igualmente, Baldry, A. / de Geus, L., *Mapping the legislation and assessing the impact of Protection Orders in the European Member States. National Report Italy*, POEMS, p. 5.

[283] De este parecer, vid. Salsi, G., "Stalking: una ricerca sull'ammonimento del qüestore nella provincia di Bologna in riferimento alla Legge 38/2009", cit., p. 41.

[284] En el mismo sentido, vid. de Fazio, L., "Criminalization of Stalking in Italy: one of the last among the current European member States' Anti-Stalking Laws", en *Behavioral Sciences and the Law*, vol. 29, 2011, p. 321; Baldry, A. / de Geus, L., *Mapping the legislation and assessing the impact of Protection Orders in the European Member States. National Report Italy*, cit., p. 4; Salsi, G., "Stalking: una

mento parece haberse confirmado, al menos, en un estudio realizado en la provincia de Bolonia[285].

En este caso, la ley permite que las personas víctimas de un delito de *atti persecutori* acudan a la policía para poner en conocimiento de ésta los hechos acaecidos con la finalidad de que imponga una amonestación de carácter verbal (*ammonimento*) al ofensor[286]. Ante la presentación de dicha solicitud, la propia policía – el *questore*[287] –, después de la tramitación de un breve proceso de carácter administrativo[288], debe, en caso de considerar que los hechos que se denuncian por parte de la víctima son verosímiles[289], amonestar al sujeto activo del delito e invitarle a tener una conducta adecuada a derecho. Se permite, además, la posibilidad de adoptar algún tipo de medida en materia de tenencia de armas y municiones. A diferencia de las previstas en las legislaciones de los Países Bajos o Alemania, aquí el *ammonimento* no prohíbe directamente al sujeto amonestado la posibilidad de contactar o de aproximarse a la víctima, pues ello podría ser contrario al art. 13 de la Constitución italiana[290], pero, de *facto*, sus

---

285   ricerca sull'ammonimento del qüestore nella provincia di Bologna in riferimento alla Legge 38/2009", cit., pp. 41-42; Villacampa Estiarte, C., "La introducción del delito de "*atti persecutori*" en el Código Penal italiano. La tipificación de *stalking* en Italia", cit., p. 23.

285   Vid. Salsi, G., "Stalking: una ricerca sull'ammonimento del qüestore nella provincia di Bologna in riferimento alla Legge 38/2009", cit., pp. 49-55. Vid. también los datos publicados por el *Instituto Nazionale di Statistica* italiano que en un informe de 2014 indica (p. 8) que en un 66% de los casos de *stalking* en que el *stalker* fue amonestado, éste cesó en su conducta delictiva.

286   Vid. Salsi, G., "Stalking: una ricerca sull'ammonimento del qüestore nella provincia di Bologna in riferimento alla Legge 38/2009", cit., pp. 46-47.

287   El jefe de la policía a nivel provincial.

288   Sobre el proceso y su duración aproximada en términos generales, vid. Baldry, A. / de Geus, L., *Mapping the legislation and assessing the impact of Protection Orders in the European Member States. National Report Italy*, cit., pp. 5 y ss.

289   Sobre la prueba en el seno de este proceso, vid. Salsi, G., "Stalking: una ricerca sull'ammonimento del qüestore nella provincia di Bologna in riferimento alla Legge 38/2009", cit., pp. 44 y 47.

290   Este artículo prohíbe la posibilidad de que la administración pueda restringir la libertad personal de las personas. En concreto, el art. 13 Constitución italiana establece: "[...]Non è ammessa forma alcuna di detenzione, di ispezione o perquisizione personale, né qualsiasi altra restrizione della libertà personale, se non per atto motivato dell'Autorità giudiziaria e nei soli casi e modi previsti dalla legge [...]".

consecuencias acaban siendo las mismas: la prohibición de acosar a la víctima[291]. Junto con la amonestación de carácter verbal, la policía debe entregar una copia de la amonestación tanto a la víctima como ofensor e informar a este último que de continuar con su conducta asediadora implicará la aplicación de un tipo agravado de *stalking*, tal como se establece en el art. 612 bis CP italiano[292]. El *ammonimento*, por tanto, actúa como medida de protección para la víctima aunque en caso de incumplimiento pasa a tener la consideración de tipo cualificado *sui generis*[293].

Su incumplimiento, además de suponer una agravación de la pena en caso de condena por *stalking*, implica que el delito pase a ser clasificado como delito público, por lo que ya no será necesaria querella de la víctima para iniciar un proceso penal contra el sujeto activo del delito[294].

---

[291]   Sobre ello y el hecho de que su concreta regulación se salva de un posible recurso de inconstitucionalidad, vid. Salsi, G., "Stalking: una ricerca sull'ammonimento del qüestore nella provincia di Bologna in riferimento alla Legge 38/2009", cit., pp. 42-43.

[292]   Así lo indica Salsi, G., "Stalking: una ricerca sull'ammonimento del qüestore nella provincia di Bologna in riferimento alla Legge 38/2009", cit., p. 46; Amisano, M., "Un'analisi giuridica e criminologica del fenomeno di stalking", en *Revista da Faculdade de Direito da UFMG*, núm. 66, 2015, p. 610; Villacampa Estiarte, C., "La introducción del delito de "*atti persecutori*" en el Código Penal italiano. La tipificación de *stalking* en Italia", cit., p. 23.

[293]   En este sentido, Villacampa Estiarte, C., "La introducción del delito de "*atti persecutori*" en el Código Penal italiano. La tipificación de *stalking* en Italia", cit., p. 23.

[294]   Salsi, G., "Stalking: una ricerca sull'ammonimento del qüestore nella provincia di Bologna in riferimento alla Legge 38/2009", cit., p. 46; Benedetti, M. / Mazzola, R. / Sciarrino, M., "Stalking: comparazione nei sistema di common e civil law", cit., p. 13.

6. LA REGULACIÓN DE LAS ALTERNATIVAS EN INGLATERRA Y GALES.

6.1. *Introducción y advertencias previas.*

El ordenamiento jurídico inglés[295] tiene una amplia tradición de alternativas al proceso penal en el *common law*. Los llamados supuestos de *diversion* o *out-of-court disposals* existen en Inglaterra desde, al menos, principios del siglo XIX[296].

Antes de abordar las distintas alternativas al proceso penal existentes en Inglaterra, y puesto que se pretende que su análisis sirva como base a un posible borrador de propuesta de legislación en España, es preciso realizar ciertas advertencias sobre el modelo de sistema de justicia penal inglés que explican en parte el uso tan importante de las alternativas en este país.

La primera de las advertencias es relativa a la naturaleza de las infracciones. A diferencia de lo que sucede en la mayoría de los países sometidos al *civil law*, en el derecho inglés no existe una diferenciación entre los delitos y las infracciones administrativas. Al menos teóricamente, toda infracción de una norma supone la comisión de un delito castigado, por tanto, con una sanción penal. Así, es calificado como delito desde el asesinato hasta el visionado de la televisión sin el previo pago de la preceptiva licencia para ello, el estacionamiento incorrecto en el equivalente a la zona azul o incluso estar bebiendo alcohol por la calle.

Esta falta de distinción entre infracciones de naturaleza penal e infracciones de naturaleza administrativa tiene importantes consecuencias jurídicas. La más relevante es que la comisión de cualquier infracción es considerada delito y por tanto castigada con una pena con, a su vez, todas las consecuencias jurídicas y sociales que conlleva; en particular, por los efectos que tiene tener antecedentes penales en Inglaterra. También implica que todos los hechos deban ser juzgados por parte de los tribunales penales. Igualmente, por una parte, para

---

[295] La legislación técnicamente es la relativa a los Estados de Inglaterra y Gales, pero por motivos prácticos se hará referencia solamente a Inglaterra.
[296] Vid. C. Harding / G. Dingwall, *Diversion in the Criminal Process*, ob. cit., p. 102.

el propio Estado supone un elevado coste económico, así como una reducción de la eficacia en la respuesta penal y, en consecuencia, una reducción en el efecto de prevención general de las propias penas. Por otra parte, conlleva que el infractor deba soportar la carga económica y social de pasar por los tribunales penales en caso de cometer una infracción de cualquier tipo de norma, aunque también supone un incremento de los derechos y garantías derivados del propio proceso.

La segunda de las advertencias es que a diferencia del ordenamiento jurídico-penal penal español, el derecho inglés se basa en el principio de oportunidad[297]. Tal posición explica que, a pesar de que toda infracción al ordenamiento jurídico constituya un delito, el sistema de justicia penal inglés no haya entrado en un estado de caos insalvable, al permitir que no toda comisión de un hecho delictivo deba terminar ante los tribunales. Ello permite evitar algunas de las consecuencias negativas que antes se han apuntado respecto a la posibilidad de que toda infracción del ordenamiento jurídico deba acabar en un proceso de naturaleza penal. Además, explica que el derecho inglés prevea un importante número de alternativas al proceso penal dirigidas a dar cabida a los supuestos en que se decide no seguir la vía procesal penal.

Esta doble advertencia, la no distinción entre infracciones de naturaleza penal y administrativa y el sometimiento al principio de oportunidad, es trascendental, no solo para comprender mejor el funcionamiento del sistema de alternativas inglés, sino también en el momento de plantear la posibilidad de incorporar alguna de las alternativas al sistema de justicia penal español.

En las páginas que siguen se realizará un análisis de las alternativas al proceso penal inglés, cuales son: *no further action, informal warning, cannabis warning, fixed penalty notices, penalty noticies for disorder, simple caution,* y la *conditional caution.*

Además de estas alternativas, existe también la posibilidad de que los hechos delictivos no lleguen nunca a manos de la policía o del Ministerio Público inglés (*Crown Prosecution Service*), pues éstos pueden ser resueltos directamente por parte de la propia organización involucrada. Esta vía de solución, aunque no reconocida así formalmente, vendría a ser lo más parecido a lo que en Derecho español es

---

[297]   Vid. A. Ashworth / M. Redmayne, *The Criminal process*, ob.cit., pp. 164-165.

la vía administrativa. Así, las administraciones o agencias gubernamentales inglesas tienen la facultad de, ante el conocimiento de la comisión de un hecho delictivo, no acudir a la policía y, en su lugar, llegar a una solución negociada[298].

6.2. *No further action.*

La primera de las alternativas al proceso penal ante la comisión de un hecho presuntamente delictivo consiste justamente en la inactividad. Se reconoce la posibilidad de que la policía ante el conocimiento de un delito decida no tomar ninguna acción, bien porque el sujeto ya está cumpliendo condena por otro delito, bien porque el sujeto es menor de edad o porque el delito es de menor gravedad[299]. Evidentemente, muchos de los supuestos en que se decide no tomar ninguna acción es porque simplemente no existen indicios suficientes para iniciar un proceso penal[300].

---

[298] Vid. A. Sanders / R. Young, "From suspect to trial", en M. Maguire / R. Morgan / R. Reiner (eds.), *The Oxford Handbook of Criminology*, 5ª ed., Oxford University Press, Oxford, 2012, pp. 856-857, quienes ponen como ejemplo con la agencia de inspección de trabajo inglesa (*Health and Safety Inspectore*) prefiere llegar a acuerdos informales que acudir a las autoridades policiales. Además, las sanciones impuestas por parte de estas agencias no computan a efectos de antecedentes penales y son completamente anónimas. Vid. N. Padfield / R. Morgan / M. Maguire, "Criminal sanctions and non-judicial decision-making", en M. Maguire / R. Morgan / R. Reiner. (eds.), *The Oxford Handbook of Criminology*, 5ª ed., Oxford University Press, 2012, p. 958, quienes ponen de ejemplo el órgano equivalente a la agencia tributaria Española, llamada *Her Majesty's Revenue and Customs*.

[299] Vid. A. Ashworth / M. Redmayne, *The Criminal process*, ob.cit., p. 166; N. Padfield / R. Morgan / M. Maguire, "Criminal sanctions and non-judicial decision-making", ob. cit., p. 959, quienes ponen de manifiesto que, dado el carácter de *common law*, en realidad se conoce muy poco sobre esta alternativa.

[300] Vid. A. Sanders / R. Young, "From suspect to trial", ob. cit., pp. 853-854, quien apunta, además de los motivos señalados, otras razones espurias como evitar la denuncia de malas prácticas en la policía por parte del detenido.

6.3. Informal warning.

La segunda alternativa son los avisos informales (*informal warning*) o también llamadas *informal cautions*[301]. Los avisos informales los impone la policía en el mismo momento en que se sorprende al infractor sin ser necesario acudir a comisaria. Tales instrumentos, que pueden imponerse por hechos muy leves, no son más que la advertencia informal al infractor de que su conducta no es acorde a derecho.

6.4. Cannabis warning.

La siguiente alternativa al proceso penal son los llamados *cannabis warning*[302]. Esta medida, al igual que las anteriores, no está regulada estatutariamente y se aplica desde 2004 a los sujetos que son sorprendidos por primera vez con pequeñas cantidades de marihuana para consumo[303]. Los *cannabis warnings* conllevan la imposición de una amonestación verbal que no genera antecedentes penales además del decomiso de la droga. Para su imposición, el agente de policía, que puede imponer la sanción en la comisaria o en la propia calle, debe tener pruebas suficientes de los hechos que el sujeto, además, debe admitir[304].

6.5. Fixed penalty noticies.

Las *fixed penalty notices* fueron introducidas en los años 50 del siglo pasado para las infracciones contra la seguridad en el tráfico y su uso se ha ido expandiendo, sobre todo a partir de su introducción en la *Road Traffic Offenders Act* 1988, siendo la forma más habitual para lidiar con este tipo de infracciones y con ciertos delitos

---

[301] Vid. A. Ashworth / M. Redmayne, *The Criminal process*, ob.cit., pp. 166-167.

[302] A. Ashworth / M. Redmayne, *The Criminal process*, ob.cit., p. 167; N. Padfield / R. Morgan / M. Maguire, "Criminal sanctions and non-judicial decision-making", ob. cit., p. 963.

[303] Hasta su introducción estas conductas eran castigadas a través de otra alternativa: la *simple caution*. Así, lo indican N. Padfield / R. Morgan / M. Maguire, "Criminal sanctions and non-judicial decision-making", ob. cit., p. 963.

[304] Vid. MINISTRY OF JUSTICE, *Quick reference guides to out of courts disposals*, 2013, p. 8.

medioambientales, aunque recientemente también se ha utilizado para las infracciones de carácter municipal[305]. La sanción, que en el fondo tiene una naturaleza administrativa, es impuesta por parte de la policía o de la administración implicada (*Environment Agency*, por ejemplo) y supone la imposición de una multa de entre 50 y 500 libras y la retirada de determinados puntos del carnet de conducir en el caso de delitos de tráfico vial[306]. La persona afectada puede aceptar la sanción impuesta, llamada *ticket*, o puede recurrir la misma acudiendo a los tribunales[307]. En este último caso, los hechos en tanto que, de naturaleza penal, pasan a los tribunales penales y el sujeto, en caso de ser considerado culpable, será condenado a una pena. Aceptando el *ticket*, pues, se evita tener que someterse a un proceso penal, que la sanción forme parte de los antecedentes penales del sujeto[308] así como la posible imposición de una sanción de mayor gravedad[309].

6.6. *Penalty notice for disorder.*

La *Criminal Justice and Police Act* 2001 introdujo una nueva herramienta, llamada *penalty notice for disorder*, para dilucidar, en principio, los delitos leves de carácter antisocial[310]. Las propias asociacio-

---

[305] Vid, al respecto, N. Padfield / R. Morgan / M. Maguire, "Criminal sanctions and non-judicial decision-making", ob. cit., p. 959; N. Padfield, *Text and material on the Criminal Justice Process*, 4ª ed., Oxford University Press, Oxford, 2008, p. 76.

[306] Vid. A. Ashworth / M. Redmayne, *The Criminal process*, ob.cit., p. 168. Además, del mismo modo que sucede en España, se prevén bonificaciones del 50% del importe de la sanción en caso de pronto pago. Al respecto, vid., por ejemplo, el web de la ciudad de Londres http://www.cityoflondon.gov.uk/services/transport-and-streets/parking/penalty-charge-notice/Pages/Enforcement-and-penalty-charge-notices.aspx

[307] Vid. A. Ashworth / M. Redmayne, *The Criminal process*, ob.cit., p. 168.

[308] Vid. R. Allen, "Alternatives to prosecution", en M. Mcconville / G. Wilson (eds.), *The handbook of the Criminal Justice Process*, Oxford University Press, Oxford, 2002, pp. 168-169.

[309] Así, por ejemplo, en el caso de delitos contra la seguridad vial, la *Magistrates' Court Sentencing Guidelines* establece unas penas máximas de 1000 y 2500 libras en los delitos por conducir en exceso de velocidad según haya sido cometido en autopistas o no, respectivamente. Vid., igualmente, R. Banks, *Banks on Sentence*, Ed. Banks, Etchingham, 2016, p. 1182.

[310] Vid. arts. 2 y ss. de la *Criminal Justice and Police Act* 2001.

nes de policías fueron quienes presionaron para que el Parlamento aprobara un nuevo mecanismo para lidiar con los delitos "callejeros" de forma rápida y de un modo que pudiesen evitar todo el papeleo y tiempo que suponía utilizar la vía procesal penal[311].

En un primer momento se incluyeron solo 10 delitos clasificados en dos niveles. Entre los delitos incluidos se podía encontrar la falsa alarma de un fuego, la denuncia falsa ante los agentes de policía, ir por la calle bajo los efectos del alcohol y provocando molestias a los vecinos o el hecho de cruzar las vías del tren por un lugar no permitido. Con el tiempo, la lista de delitos se ha incrementado hasta 32[312], entre los que se encuentra el hurto en tiendas de hasta 200 libras o los daños de hasta 500 libras[313].

Las *penalities notice for disorder* pueden imponerse tanto en el mismo lugar en que se hayan cometido los hechos como en comisaria, por parte de un agente uniformado. Para su imposición se requiere que el agente compruebe que los hechos objeto de la sanción han sido cometidos por el sujeto sancionado, aunque no se precisa su admisión por parte del administrado[314].

La sanción consiste en una multa de 50 o 80 libras según el delito es considerado más o menos grave[315] o, alternativamente, a la

---

[311]   Vid. R. Young, "Street Policing after PACE: the drift so summary justice", en E. Cape / E. Young (eds.), *Regulating policing: the Police and Criminal Evidence Act 1984 past, present and future*, Ed. Hart, Oxford, 2008, p. 178.

[312]   La lista de delitos puede consultarse en las directrices aprobadas por el Ministerio de Justicia británico en 2014, MINISTRY OF JUSTICE, *Penality Notices for Disorder (PNDs)*, 2014, pp. 24-27.

[313]   Vid. R. Young, "Street Policing after PACE: the drift so summary justice", ob. cit., p. 167; A. Ashworth / M. Redmayne, *The Criminal process*, ob.cit., p. 176.

[314]   Vid. A. Ashworth / M. Redmayne, *The Criminal process*, ob.cit., pp. 168 y 177; N. Padfield / R. Morgan / M. Maguire, "Criminal sanctions and non-judicial decision-making", ob. cit., p. 962.

[315]   Entre los considerados más graves se encuentra el hurto en tiendas, los daños, provocar desorden público, etc. En cambio, entre lo más leves está el hecho de cruzar las vías del tren por una zona prohibida, consumir alcohol en zonas prohibidas o ir bebido por la calle, según indican A. Ashworth / M. Redmayne, *The Criminal process*, ob. cit., p. 176 o R. Young, "Street Policing after PACE: the drift so summary justice", ob. cit., p. 167.

realización de un curso de reeducación[316]. La sanción debe ser satisfecha en un plazo máximo de 21 días. Caso contrario, tal circunstancia se comunica a los juzgados a la vez que se incrementa su cuantía en un 50%[317]. En caso de no estar conforme con la sanción impuesta existe, entonces, la posibilidad de acudir a los tribunales[318]. En este caso, será cancelada y el sujeto en cuestión será juzgado por los hechos originales[319]. Una vez impuesta, la *penalty notice for disorder* tiene efectos preclusivos de la acción penal, excepto que salgan a la luz nuevos hechos que pongan de manifiesto la necesidad de acudir a la vía procesal penal[320].

La multa no es considerada como una sanción penal ni se incluye en el registro de antecedentes penales – excepto si se acude a los tribunales y se acaba siendo condenado –, aunque sí en el registro policial, y la misma puede ser usada en posteriores juicios o dificultar que en futuras ocasiones pueda volver a imponerse una *penalty notice for disorder*[321]. Además, como estas sanciones no están incluidas en la *Rehabilitation of Offenders Act* 1974, ley en la que se establecen los plazos de cancelación de los antecedentes, conlleva que dicha sanción estará incluida en el registro policial de por vida[322].

---

[316]   Vid. MINISTRY OF JUSTICE, *Quick reference guides to out of courts disposals*, ob. cit., p. 10; MINISTRY OF JUSTICE, *Penality Notices for Disorder (PNDs)*, ob. cit., pp. 19-24.

[317]   Vid. N. Padfield / R. Morgan / M. Maguire, "Criminal sanctions and non-judicial decision-making", ob. cit., p. 966, quienes indican que solo aproximadamente un 50% de los sujetos paga la multa, por lo que el resto acuden a los tribunales.

[318]   Vid. A. Ashworth / M. Redmayne, *The Criminal process*, ob.cit., p. 176; R. Young, "Street Policing after PACE: the drift so summary justice", ob. cit., p. 167.

[319]   Vid. N. Padfield / R. Morgan / M. Maguire, "Criminal sanctions and non-judicial decision-making", ob. cit., p. 962. Vid., también, art. 4 de la *Criminal Justice and Police Act* 2001.

[320]   Vid. A. Ashworth / M. Redmayne, *The Criminal process*, ob.cit., p. 177, quienes citan la sentencia del Tribunal de Apelación inglés *Gore and Maher [2009] EWCA Crim 1424*.

[321]   Vid. N. Padfield / R. Morgan / M. Maguire, "Criminal sanctions and non-judicial decision-making", ob. cit., p. 962; A. Ashworth / M. Redmayne, *The Criminal process*, ob.cit., p. 177; R. Young, "Street Policing after PACE: the drift so summary justice", ob. cit., p. 167.

[322]   Alertan de ello N. Padfield / R. Morgan / M. Maguire, "Criminal sanctions and non-judicial decision-making", ob. cit., p. 963; J. Jackson, "Police and

Según el legislador, las *penalties notice for disorder* tenían diversos objetivos. En primer lugar, ofrecer a los agentes de policía una nueva forma alternativa de afrontar los delitos de carácter antisocial y de baja intensidad. En segundo lugar, ofrecer una justicia rápida, simple y efectiva, pero a su vez con efectos preventivo-generales. Finalmente, reducir el tiempo de los agentes de policía en cuestiones burocráticas, tales como rellenar papeleo o acudir a los tribunales, a la vez que reducir también la carga de los tribunales respecto a cuestiones menores. Con ello, además, se conseguía que tanto los agentes como los tribunales dispusieran de mayor tiempo para lidiar con delitos de mayor importancia[323].

La realidad es que los objetivos eran principalmente prácticos. La mayoría de las sanciones impuestas (más del 90%) son por causar desordenes bajo los efectos del alcohol, injurias o acoso verbal y hurtos en tiendas[324]. Delitos, éstos, que estaban suponiendo una carga de trabajo importante para los tribunales[325]. Debe tenerse en cuenta que ello se hace a costa de las garantías propias del proceso[326] y sin tener en cuenta, en muchos casos, la visión de la víctima del delito[327]. Además, el uso de estas sanciones se ha expandido a otros delitos que no son simplemente de desorden público, como pueden ser los hurtos o los delitos de daños.

Igualmente, la inclusión de las *penalties notice for disorder* ha tenido consecuencias en los delitos menores, provocando un efecto de

---

Prosecutors after PACE: The Road from Case Construction to Case Disposal", en E. Cape / R. Young (eds.), *Regulating policing: the Police and Criminal Evidence Act 1984 past, present and future*, Ed. Hart, Oxford, 2008, pp. 269-270.

[323] A. Ashworth / M. Redmayne, *The Criminal process*, ob.cit., p. 177.

[324] R. Young, "Street Policing after PACE: the drift so summary justice", ob. cit., p. 170.

[325] Así lo señalan A. Ashworth / M. Redmayne, *The Criminal process*, ob.cit., p. 177.

[326] A. Ashworth / M. Redmayne, *The Criminal process*, ob.cit., p. 178.

[327] A. Ashworth / M. Redmayne, *The Criminal process*, ob.cit., p. 177-178, quienes indican que la visión de la víctima solo se tiene en cuenta en los casos de hurtos en tiendas por valores superior a 100 libras o en delitos de daños superiores a 300 libras. Vid. también N. Padfield / R. Morgan / M. Maguire, "Criminal sanctions and non-judicial decision-making", ob. cit., p. 966.

net-widening[328]. Esto es, su regulación ha conllevado que hechos que anteriormente se resolvían de forma informal ahora queden sujetos a éstas, que a pesar de ser alternativas y de menor gravedad que una sanción penal suponen un incremento punitivo en comparación con la situación previa e incluso, en caso de apelar la decisión, pueden acabar en los tribunales[329]. Así, según los datos, la introducción de las *penalties notices for disorder* ha supuesto un descenso de las *no further action* sin que, a su vez, se haya visto una reducción del resto de alternativas al proceso penal existentes en el derecho inglés[330].

6.7. *Simple caution.*

Las *simple cautions*, como todas las alternativas analizadas hasta el momento excepto las *penalties notices for disorder*, carecen de base legal y se rigen por el *common law*[331].

Esta medida, como el resto de alternativas al proceso penal, pretende dar una respuesta proporcionada a los delitos leves a la vez que ofrecer una justicia rápida, simple y efectiva, sin perder de vista el efecto de prevención general de las penas. Con ello, además, se consigue reducir el tiempo que los agentes de policía y los tribunales deben utilizar para lidiar con asuntos menores, con lo que pueden gestionar más recursos a los delitos más graves.

---

[328]   Vid. A. Ashworth / L. Zedner, "Defending the Criminal Law: reflections on the changing carácter of crime, proceduce, and sanctions", en *Criminal Law and Philosophy*, vol. 2, 2008, p. 28, quien considera que a pesar del efecto que ha tenido la introducción de las *penalty notices for disorder* en la expansión del sistema de justicia penal no debe considerarse negativo, pues antes quedaban fuera del sistema hurtos menores por considerarse que no cumplían con el interés público.

[329]   Vid. R. Young, "Street Policing after PACE: the drift so summary justice", ob. cit., pp. 172-173.

[330]   R. Young, "Street Policing after PACE: the drift so summary justice", ob. cit., p. 174.

[331]   A pesar de ello la reciente *Criminal Justice and Courts Act* 2015 ha regulado por ley en qué casos no es posible imponer una *caution* y debe, en su lugar, iniciarse un proceso penal. Sí que tienen base legal las *cautions* que se aplican a menores, pues fueron reguladas por primera vez a través de la *Crime and Disorder Act* 1998.

La *simple caution*, también conocida como *police caution*, es una alternativa que dispone la policía para sancionar a través de la imposición de una advertencia formal a aquellos sujetos mayores de edad que cometen un delito considerado leve. La sanción no implica ninguna obligación o prohibición; es simplemente un aviso de que se han cometido unos hechos delictivos.

A diferencia del resto de alternativas que se han analizado *supra*, las *cautions*, a pesar de no ser una condena, computan a efectos de antecedentes penales. El principal problema hasta hace pocos años era que no estaban incluidas en la *Rehabilitation of Offenders Act* 1974, ley que establece los plazos de cancelación de los antecedentes penales, por lo que las *cautions* impuestas nunca eran canceladas. A partir de una reforma de la mencionada ley en 2008[332], las *cautions* se cancelan instantáneamente[333]. El problema, no obstante, continúa existiendo en tanto que, a pesar de cancelarse al instante, ello no excluye que pueda ser mencionada en un juicio posterior. Igualmente, debe tenerse en cuenta que la legislación inglesa excluye la posibilidad de trabajar en determinadas profesiones – más de 70[334] - a aquellos sujetos condenados o sancionados con una *caution* por la comisión de determinados delitos. Esta prohibición se aplica con carácter perpetuo, sin importar los plazos de cancelación de los antecedentes. Si además, la *caution* ha sido impuesta por alguno de los delitos sujetos al registro de delincuentes sexuales, el sujeto quedará también registrado en el mismo[335]. Por tanto, a pesar de que las *simple cautions* se cancelen en el mismo momento en que son impuestas, continúan teniendo efectos en un hipotético juicio posterior para, entre otras cuestiones, restar credibilidad al acusado o probar que existe un riesgo de

---

[332] Vid. *Criminal Justice and Immigrant Act* 2008.
[333] Vid. T. Thomas, *Criminal records. A database for the Criminal Justice System and Beyond*, Ed. Palgrave Macmillan, Basingstoke, 2007, p. 102.
[334] Vid. T. Thomas, *Criminal records. A database for the Criminal Justice System and Beyond*, ob. cit., p. 96.
[335] En este sentido, vid. A. Ashworth / M. Redmayne, *The Criminal process*, ob.cit., p. 167.

reincidencia[336] así como en la imposibilidad de ejercer determinadas profesiones[337].

Por regla general, la policía tiene la posibilidad de imponer una *simple caution* frente a sujetos que hayan cometido un delito leve o menos grave. Los delitos leves (*summary offences*) son aquellos que son enjuiciados ante el *Magistrate's Court* y, por tanto, solamente pueden ser castigados con penas de prisión de hasta 6 meses[338]. Los delitos menos graves (*either-way* o *indictable offences*) son aquellos delitos que están a caballo entre los delitos leves y los delitos graves los cuales deben ser enjuiciados, según las circunstancias concurrentes, ante el *Magistrate's Court* o el tribunal superior[339], llamado *Crown Court*[340]. Igualmente, es posible la imposición de una *caution* por delitos graves siempre que ello esté justificado por razones excepcionales y el director del que vendría a ser el Ministerio Público inglés así lo autorice[341]. Hasta la introducción de esta limitación por *Criminal Justice and Courts Act* 2015 no existía limitación estatutaria alguna al ejercicio de las *cautions* y ello había sido ampliamente criticado al permitir que sujetos que había cometido delitos graves acaba-

---

[336] Vid. arts. 98 y ss. *Criminal Justice Act* 2003 así como Ward, R. / Davies, O. M., *The Criminal Justice Act 2003. A practicioner's guide*, Ed. Jordans, Bristol, 2004, pp. 81 y ss. Vid., también, G. Branston, "A reprehensible use of cautions as bad carácter evidence?", en *Criminal Law Review*, 2015, pp. 594-610, quien critica la posibilidad de que las *cautions*, sanción que no implica una condena, computen a efectos de lo que viene a denominarse "bad character" y, por tanto, a considerar a un sujeto que es probable que cometa nuevos delitos o de considerarlo reincidente.

[337] Vid. T. Thomas, *Criminal records. A database for the Criminal Justice System and Beyond*, ob. cit., p. 102.

[338] Vid. A. Ashworth / M. Redmayne, *The Criminal process*, ob.cit., p. 326; A. Ashworth / J. Roberts, "Sentencing: theory, principle, and practice", en M. Maguire / R. Morgan / R. Reiner (eds.), *The Oxford Handbook of Criminology*, 5ª ed., Oxford University Press, Oxford, 2012, pp. 873-874.

[339] El *Magistrate's Court* está compuesto por un tribunal lego en derecho asistido por un funcionario, si bien los casos más complejos son enjuiciados por jueces profesionales. El *Crown Court*, en cambio, está compuesto únicamente por jueces profesionales u otros profesionales del derecho, como profesores universitarios, que ejercen de jueces a tiempo parcial. Vid., al respecto, A. Ashworth / M. Redmayne, *The Criminal process*, ob. cit., pp. 323-324.

[340] A. Ashworth / M. Redmayne, *The Criminal process*, ob. cit., pp. 326-327.

[341] Vid. art. 17 *Criminal Justice and Courts Act 2015*.

ran siendo "condenados" con una simple amonestación formal[342]. La policía, en los casos de delitos leves y menos graves, puede también solicitar asesoramiento al Ministerio Público inglés (*Crown Prosecution Service*) sobre la idoneidad de la imposición de una *caution*, si bien es libre de decidir aquello que considere más oportuno, pues no está sometido a su fiscalización.

Según se establece en las directrices para la imposición de una *simple caution* aprobadas por el Ministerio de Justicia del Gobierno del Reino Unido, la policía no puede ofrecer la imposición de una *simple caution* como alternativa a la incoación de un proceso penal con el objetivo de conseguir o asegurar una admisión de culpabilidad. De hecho, es necesario que el sujeto afectado haya admitido la comisión del hecho delictivo con anterioridad al ofrecimiento de la alternativa. El objetivo es evitar declaraciones de culpabilidad que tengan como única finalidad eludir una posible condena más grave; o evitar el estigma social que provoca tener que someterse a un proceso penal. Igualmente, tampoco puede ofrecerse una *simple caution* en los casos en que el sujeto, a pesar de aceptar la comisión de los hechos, plantee o pueda deducirse de su relato la concurrencia de una causa de justificación.

Se requiere, además, que existan pruebas suficientes como para considerar que el sujeto ha cometido el delito. Ello será así solo en caso que se estime que existe una alta probabilidad de que en caso de ser llevado a juicio se dictaría sentencia condenatoria.

El último requisito que debe cumplirse para poder considerar la imposición de una *simple caution* es que existan razones de interés

---

[342] Al respecto, vid., entre otros, N. Padfield / R. Morgan / M. Maguire, "Criminal sanctions and non-judicial decision-making", ob cit., p. 959, quienes indican que, en 2009, de acuerdo con los datos ofrecidos por el Ministerio de Justicia, se impusieron incluso 22 *cautions* en supuestos de violación. Igualmente, según un informe llevado a cabo por Her Majesty's Inspectorate of Constabulary and Her Majesty's Crown Prosecution Service Inspectorate se confirma que en más de un 30% de los casos en que se acuerda la imposición de una alternativa debería, de acuerdo con la gravedad del hecho, incoarse un procedimiento penal ordinario. Vid. Her Majesty's Inspectorate of Constabulary, *Excerising discretion: the gategay to justice*, Criminal Justice Joint Inspection, 2011, p. 22. Disponible electrónicamente en https://www.justiceinspectorates.gov.uk/cjji/wp-content/uploads/sites/2/2014/04/CJI_20110609.pdf [última visita: 25/01/2021].

público para ello. Esto es, si la *simple caution* es una sanción proporcional a la gravedad, las consecuencias del hecho cometido y a las circunstancias del agresor. Según las directrices del Ministerio de Justicia, debe tenerse en cuenta el delito cometido y las circunstancias que envuelven a este y al autor del mismo, los antecedentes penales y la opinión y el impacto que ha tenido el delito en la víctima[343].

En relación con el delito, antes ya se ha indicado que, por regla general, los delitos graves están excluidos, excepto cuando así lo autorice el director del Ministerio Público inglés. Debe añadirse, también, la restricción sobre algunos delitos menos graves relacionados con hechos en los que se provoca crueldad a menores de edad, trata de seres humanos con finalidades sexuales, delitos sexuales en los que la víctima sea menor o delitos graves de tráfico de drogas[344]. Con carácter general, se considera que una *caution* es la respuesta adecuada cuando se considere que es improbable que se acabe imponiendo una pena privativa de libertad.

El segundo elemento a tener en cuenta son los antecedentes. Hasta la aprobación de la *Criminal Justice and Courts Act* 2015, al no existir regulación legal alguna sobre las *cautions*, era posible, aunque las directrices al respecto no lo consideraban correcto, encontrarse con sujetos sancionados con una *simple caution* de forma reiterada. Desde la entrada en vigor de la mencionada ley no se permite imponer dicha alternativa en casos de delincuentes reincidentes. Solo es posible imponer una *caution* a un sujeto previamente sancionado con la misma sanción cuando haya pasado un periodo de tiempo de, al menos, dos

---

[343] Vid., también, A. Ashworth / M. Redmayne, *The Criminal process*, ob. cit., pp. 204-206; J. Fionda, *Public prosecutors and discretion: a comparative study*, ob. cit., p. 228.

[344] En estos casos solo podrá acordarse una *caution* teniendo en cuenta, entre otras, que el grado de culpabilidad sea bajo, el daño producido, los antecedentes penales del sujeto o la concurrencia de circunstancias agravantes y atenuantes. Vid. las directrices para la imposición de una *simple caution* aprobadas por el Ministerio de Justicia británico, 2015, p. 10. Disponible en https://www.gov.uk/government/uploads/system/uploads/attachment_data/file/416068/cautions-guidance-2015.pdf [última visita: 26/01/2021]. Vid., también el Código del *Crown Prosecutors* de 2013, en el que se establece como debe valorar el interés público en el momento de decidir sobre una acusación o una alternativa a ésta. Disponible electrónicamente en https://www.cps.gov.uk/publications/docs/code_2013_accessible_english.pdf [última visita: 26/01/2021].

años desde la última *caution* impuesta y el delito sea leve o se considere que es la mejor opción para la víctima y el delincuente[345].

En último lugar, para determinar el interés público en no proseguir con una acusación formal, debe tenerse en cuenta el daño que el delito ha causado a la víctima y la opinión de ésta. En particular, debe tenerse en cuenta el impacto que ha tenido el delito para la víctima, las consecuencias que puede tener para ella que se inicie un procedimiento penal y también su punto de vista sobre la posibilidad de imponer una *caution* al agresor. Tal posición, sin embargo, no imposibilita optar por la alternativa al proceso ni en el caso de que considere que debería optarse por incoar un proceso penal como tampoco en caso de considerar que no debería tomarse ninguna medida legal al respecto[346].

Una vez se cumplen todos los requisitos para poder acordar una *simple caution*: admisión del hecho por parte del sujeto, existencia de pruebas suficientes para acordar una hipotética condena, y existencia de un interés público para no iniciar un proceso penal, la policía puede entonces ofrecer la imposición de una *simple caution*. En este momento la policía debe asegurarse de que el sujeto acepta que le sea impuesta y que entiende las consecuencias que conlleva su aceptación. Esto es, que el sujeto admite que es culpable de cometer un delito y que tal circunstancia quedará registrada en sus antecedentes penales. Su imposición, además, según el delito por el que haya sido sancionado, puede imposibilitar al sujeto para trabajar con menores de edad, además de dificultar la obtención de un visado en determinados países. Por último, debe advertirse al sujeto en cuestión que la imposición de la *caution* no excluye la posibilidad de que la víctima inicie un proceso civil para reclamar daños y perjuicios derivados del ilícito penal[347]. Las directrices aprobadas por el Ministerio de Justicia

---

[345] Vid. art. 17 de la *Criminal Justice and Courts Act* 2015, así como las directrices del Ministerio de Justicia sobre la imposición de *simple cautions*.

[346] Vid. las directrices del Ministerio de Justicia sobre la imposición de *simple cautions*.

[347] Sí que cierra la puerta a una eventual acusación particular. En este sentido, el equivalente al Tribunal Supremo inglés, en el caso *Jones v Whalley* [2006] UKHL 41, dictaminó que abrir la posibilidad a permitir una futura acusación particular una vez impuesta la *caution* va en contra del interés general además de que supondría el fin de las *cautions*, pues ningún sujeto querría admitir unos hechos si después puede iniciarse un eventual proceso contra él.

británico establecen que para garantizar que el sujeto comprende todas estas consecuencias debe ofrecerse la posibilidad de que éste sea asesorado por un abogado con carácter previo a la aceptación de la sanción.

6.8. *Conditional caution.*

En 2001, un informe realizado por un juez del Tribunal de Apelación Inglés puso de manifiesto la necesidad de introducir una nueva alternativa al proceso penal similar a las *simple cautions* pero que pudiera conllevar el cumplimiento de obligaciones por parte del sometido a la medida[348]. Como respuesta al mencionado informe, en 2003 el Parlamento británico introdujo, a través la *Criminal Justice Act* 2003[349], lo que se conoce como *conditional cautions*.

Las *conditional cautions* no son más que las *simple cautions* a las que se añade el cumplimiento de una o más condiciones. Esta nueva alternativa, según se establece en las directrices para la imposición de las *conditional cautions*[350], busca, junto con el hecho de proporcionar una respuesta adecuada a delitos menores, reparar el daño causado por el delito y reducir el riesgo de reincidencia, proporcionando la posibilidad de que el sujeto sea rehabilitado. De acuerdo con lo anterior, las condiciones a imponer, en un primer momento, debían tener como objetivo la rehabilitación del sujeto y/o la reparación del daño causado con el delito. Posteriormente, a través de la *Police and Justice Act* 2006, se introdujo también la posibilidad de que las condiciones impuestas tuvieran un objetivo punitivo[351]. Estas últimas solo debe-

---

[348]   Vid. R. Auld, *A review of the Criminal Courts of England and Wales*, Ministry of Justice, London, 2001. Disponible electrónicamente en http://webarchive. nationalarchives.gov.uk/+/http://www.criminal-courts-review.org.uk/auldconts. htm [última visita: 26/01/2021]. Ya anteriormente lo había apuntado A. Sanders, "The limits of diversion from prosecution", en *British Journal of Criminology*, vol. 28, núm. 4, 1988, pp. 527-528.

[349]   Vid. arts. 22 a 27 *Criminal Justice Act* 2003.

[350]   Vid. *Code of Practice for Adult Conditional Cations*, MINISTRY OF JUSTICE, 2013.

[351]   Vid. N. Padfield / R. Morgan / M. Maguire, "Criminal sanctions and non-judicial decision-making", ob. cit., p. 963; A. Ashworth / M. Redmayne, *The Criminal process*, ob. cit., p. 179.

rían utilizarse en aquellos supuestos en que no fuera apropiada la imposición de condiciones rehabilitadoras o reparadoras o con carácter suplementario a éstas[352]. Las condiciones de carácter rehabilitador pueden consistir en la participación de programas de tratamiento o reeducación. Las dirigidas a la reparación pueden consistir desde una simple disculpa, a la reparación del daño causado, al pago de una cantidad de dinero, en la realización de trabajos en beneficio de la comunidad por un tiempo máximo de hasta 20 horas[353] o incluso en la participación de un programa de justicia restaurativa[354]. Finalmente, las condiciones punitivas consisten única y exclusivamente en el pago de una multa que en ningún caso puede superar las 250 libras, según se establece en el art. 23A(3) *Criminal Justice Act* 2003[355].

Las condiciones que se impongan deben ser apropiadas, proporcionales y de posible consecución por parte del sujeto "caucionado". Para determinar la adecuación deben tenerse en cuenta las posibilidades de reparación a la víctima o a la sociedad, los intereses de la víctima, el impacto positivo que puede tener en el sujeto o la comunidad, o el efecto preventivo. En relación con la proporcionalidad, deben considerarse tanto cada una de las condiciones impuestas como todas ellas en su conjunto. Finalmente, para valorar la posibilidad de ser

---

[352] Vid., en este sentido, *Code of Practice for Adult Conditional Cations*, MINISTRY OF JUSTICE, 2013, p. 10; A. Ashworth / M. Redmayne, *The Criminal process*, ob. cit., p. 180.

[353] Vid. art. 22(3B) *Criminal Justice Act* 2003.

[354] En este sentido, vid. A. Ashworth / M. Redmayne, *The Criminal process*, ob. cit., p. 180. Sobre la introducción de mecanismos restaurativos como condiciones de las *cautions* en Inglaterra y Gales, vid., entre muchos otros, C. Hoyle, "Restorative justice, victims and the police", en R. Newburn (ed.), *Handbook of policing*, 2ª ed., Ed. Routledge, Oxford, 2009, pp. 794-823; F. Hill, "Restorative justice and the absent victim: new data from the Thames Valley", en *International Review of Victimology*, vol. 9, 2002, pp. 273-288.

[355] Vid. con más detalle, sobre las posibles condiciones, *Code of Practice for Adult Conditional Cations*, Ministry of Justice, 2013, pp. 8-9; A. Ashworth / M. Redmayne, *The Criminal process*, ob. cit., p. 180.

cumplida, debe tenerse en cuenta el tiempo que ello puede llevar al sujeto[356] así como los conflictos que puede generar en su vida diaria[357].

Para la imposición de las *conditional cautions* deben tenerse en cuenta los mismos requisitos que para las *simple cautions*. Que el sujeto haya admitido los hechos objeto de litigio, que exista prueba suficiente, que concurra un interés público en imponer una alternativa en lugar de iniciar un procedimiento penal y que en el momento de imponer la medida se expliquen los efectos y consecuencias que tiene la misma para el sujeto en cuestión.

En lo que se refiere a aspectos procedimentales, las principales diferencias respecto de la *simple caution* consiste en que en este caso se precisa de la intervención del *Crown Prosecution Service*[358]. Éste es quien tiene que decidir si existen pruebas de cargo suficientes, así como si hay un interés público en imponer una *conditional caution* en lugar de iniciar un proceso penal ordinario.

Además, aquí, a diferencia de las *simple cautions*, la imposición de la alternativa no cierra la puerta a una eventual acusación formal, sino que solamente la suspende[359]. Solo en caso de cumplirse con las obligaciones impuestas será cuando la vía penal ordinaria quedará cerrada. En caso contrario, el incumplimiento de las condiciones implicará el encausamiento del sujeto por el delito original[360].

La introducción de las *conditional cautions* no supuso la eliminación de las *simple cautions*. Las dos conviven como alternativas, así como con el resto de medidas alternativas al proceso penal. Ello tampoco significa que exista una gradualidad de sanciones, pues no es

---

[356] Se considera que las condiciones deberían poderse cumplir con un tiempo máximo de entre 16 y 20 semanas. Vid., *Code of Practice for Adult Conditional Cations*, Ministry of Justice, 2013, p. 11.

[357] Vid. *Code of Practice for Adult Conditional Cations*, Ministry of Justice, 2013, pp. 10-11.

[358] A. Ashworth / M. Redmayne, *The Criminal process*, ob. cit., p. 179; N. Padfield / R. Morgan / M. Maguire, "Criminal sanctions and non-judicial decision-making", ob. cit., p. 963. Igualmente, vid. art. 23 *Criminal Justice Act* 2003.

[359] En este sentido, vid. A. Ashworth / M. Redmayne, *The Criminal process*, ob. cit., p. 180.

[360] Vid. art. 24 *Criminal Justice Act* 2003. Puede, con carácter previo, modificarse el contenido de las condiciones impuestas tal como se indica en el *Code of Practice for Adult Conditional Cations*, Ministry of Justice, 2013, p. 21.

posible recibir una *conditional caution* si hace menos de 2 años que se ha sido sancionado con una *simple caution*. La diferencia entre una y otra está en la necesidad o no de introducir elementos de rehabilitación o reparación a la víctima.

En la práctica, sobre todo hasta la fijación de criterios estables, primero, con la regulación de la *conditional caution* a través de una norma legal, y, después, con la aprobación de las distintas directrices, se han impuesto numerosas *simple cautions* y *conditional cautions* en supuestos para los que no estaban pensadas.

En este sentido, sucede que en algunas ocasiones la policía ofrece la posibilidad de imponer una *caution* – simple o condicional – con carácter previo a que admita ser autor de los hechos objeto de controversia como método para presionar al sujeto para que los admita[361]. La presión es evidente. Ante la posibilidad de optar a que la policía te imponga una *caution* o de ser formalmente encausado y posteriormente juzgado hay una gran diferencia[362]. La *caution* no es una condena – aunque ya hemos indicado que los efectos son muy similares – y si se acepta se evitan los riesgos que tiene ser juzgado por un tribunal como el riesgo de que éste no dé veracidad a la propia versión de los hechos, el riesgo de la posible condena, los efectos sociales que ello puede tener y también las dilaciones que ello conlleva[363]. Más grave aún es el hecho que la presión para la admisión de los hechos sea realizada no solo para cumplir con el requisito mismo, sino porque en realidad la policía no tiene pruebas de cargo suficientes, por lo que

---

[361] Vid. el caso *R v Metropolitan Police Commissioner, ex parte Thompson* [1997] 1 WLR 1519, en el que la policía le comunicó al ofensor que si aceptaba los hechos le ofrecía una *caution* en lugar de iniciar un procedimiento penal.

[362] Vid. P. Hynes / M. Elkins, "Suggestions for reform to the police cautioning procedure", en *Criminal Law Review*, 2013, pp. 969-971, quienes indican que hay un ambiente de mucha presión en el momento de aceptar la *caution* que hace difícil poder decidir de forma clara. Además, debe tenerse en cuenta que normalmente para el sujeto afectado es la primera vez que se encuentra ante esta situación, lo que incrementa aún más el estado de tensión y desconocimiento. Igualmente, vid. M. Jasch, "Police and prosecutions: vanishing differences between practices in England and Germany", en *German Law Journal*, vol. 5, núm. 10, 2004, p. 1211.

[363] Así lo pone de manifiesto A. Ashworth / M. Redmayne, *The Criminal process*, ob. cit., p. 174; N. Padfield / R. Morgan / M. Maguire, "Criminal sanctions and non-judicial decision-making", ob cit., p. 957.

busca la admisión de los hechos con dicha finalidad. Esto es, la policía propone la alternativa al proceso sin siquiera tener pruebas suficientes de que el sujeto ha cometido el hecho delictivo objeto de la *caution*[364].

Otro de los principales problemas de las *cautions* en la práctica es que se aplican a supuestos en que debería procederse a formalizar una acusación. La *Criminal Justice and Courts Act* 2015 y las últimas directrices aprobadas por el Ministerio de Justicia reducen, sin embargo, está posibilidad. Ahora, la discrecionalidad de la policía se ha visto limitada, pues solo puede ofrecerse una *caution* por la comisión de delitos graves en casos excepcionales y siempre que el *Crown Prosecution Service* así lo autorice. Hasta entonces, sin embargo, era muy habitual que se impusieran *cautions* por delitos graves[365].

Finalmente, otra de las cuestiones conflictivas es la relativa al hecho de que muchos sujetos no han sido informados de las reales consecuencias de las *cautions*[366]. De hecho, tal como ya se ha mencionado, muchos sujetos aceptan las *cautions* con la finalidad de evitar el juicio, pero no son conscientes de lo que implica la alternativa[367].

---

[364] Vid. M. McConville / A. Sanders / R. Len, *The case for the prosecution. Police suspect and the construction of criminality*, Ed.Routledge, London, 1991, pp. 81-83, quienes ponen ejemplos sacados de expedientes policiales reales. En el mismo sentido, A. Sanders / R. Young, "From suspect to trial", ob. cit., pp. 854-855. Igualmente, aunque en relación con las *cautions* que se aplican a menores de edad, vid. S. Holdaway, "The final warning. Appearance and reality", en *Criminology & Criminal Justice*, vol. 3(4), 2003, pp. 355-357; A. Sanders, "The limits of diversion from prosecution", ob. cit., pp. 515-516, quien apunta incluso a la posibilidad de que sujetos inocentes sea sometidos a una *caution*.

[365] Vid. *supra* donde se ha indicado que, según un estudio de 2011, en un 30% de los casos aproximadamente se han ofrecido *cautions* para delitos graves y que incluso se impusieron *cautions* en supuestos de violación. Vid., también, N. Padfield / R. Morgan / M. Maguire, "Criminal sanctions and non-judicial decision-making", ob cit., p. 965.

[366] Vid. el caso *Caetano v Commissioner of Police of the Metropolis* [2013] EWHC 375 (Admin) en el que la policía no advierte al sujeto de las consecuencias de la *caution* impuesta.

[367] Vid. A. Sanders, "The limits of diversion from prosecution", ob. cit., p. 516; S. Fenner / G. Gudjonsson / I. Clare, "Undertanding of the current police caution (England and Wales) among suspects in police detention" en *Journal of Community & Applied social Psychology*, núm. 12, 2002, pp. 83-93, quienes llegan a la conclusión que los sujetos sometidos a una *caution*, pero tampoco la sociedad en general, comprende sus consecuencias incluso una vez éstas han sido explicadas.

Para evitarlo, las directrices establecen que el sujeto en cuestión tiene derecho a un letrado que le informe y asesore al respecto[368].

---

[368] Vid. el caso *DPP v Ara* [2002] 1 Cr App R 159 en el que se anula una *caution* impuesta al no haberse permitido el asesoramiento legal previo por parte del sujeto.

Capítulo IV:

PROPUESTA DE *LEGE FERENDA*

1. CONSIDERACIONES PREVIAS.

Partiendo de la premisa a la que se ha llegado sobre la imposibilidad de definir unos límites claros entre el Derecho penal y el Derecho administrativo sancionador y de la apuesta, por las razones descritas *supra*, por la priorización del uso del Derecho penal como medio para ejercer el *ius puniendi* del Estado, el análisis de Derecho comparado ha servido, al menos, en tres sentidos. En primer lugar, para comprobar que hay otros medios de resolución de conflictos distintos a los previstos en el Ordenamiento jurídico español. En segundo lugar, para comprobar que justamente es posible encontrar soluciones en el seno del Derecho penal, sin necesidad de acudir a otras ramas del Derecho como puede ser el Derecho administrativo sancionador. Finalmente, para demostrar que estas ofrecen una oportunidad de hacer frente a los delitos leves de manera eficiente, como consecuencia de la reducción de los costes del proceso y de la mayor agilidad en la respuesta penal[369], pues requieren de procesos mucho más simples y menos costosos, son menos burocráticas, más proporcionales y menos estigmatizantes[370]. Igualmente, en tanto que la introducción de

---

[369] Vid. Harding, C. / Dingwall, G., *Diversion in the Criminal Process*, Sweet & Maxwell, Mytholmroyd, 1998, p. 15; Fionda, J., *Public prosecutors and discretion: a comparative study*, cit., p. 219; Ashworth, A. / Redmayne, M., *The Criminal process*, cit., p. 164. Vid., también, el estudio Her Majesty's Inspectorate of Constabulary, *Excerising discretion: the gategay to justice*, cit., pp. 28-32, donde se indican las medidas entre el tiempo que debe emplearse para formalizar los cargos penales y las distintas alternativas, siendo la más rápida la *penalty notice for disorder* y la más lenta, pero aún más rápida que la formalización de cargos (sin tener en cuenta todo el tiempo del propio proceso penal) es la *conditional caution*.

[370] En relación con esta última tal posición se basa en la teoría del etiquetamiento de Lemert. La evitación de la condena y del propio proceso, por tanto, evitan una desviación del sujeto. Defienden, entre otros, este efecto de las alternativas al

alternativas al proceso permita dedicar más recursos a los delitos más graves y, a su vez, permita dar una respuesta a más supuestos puede provocar un efecto positivo sobre la confianza en el sistema, en tanto que se incrementa el efecto preventivo-general del propio sistema de justicia penal[371].

En el universo de las alternativas al proceso penal, no obstante, no todo son alabanzas. La regulación de estas medidas ha sido constantemente criticada, incluso, por los mismos autores que defienden su existencia. Una crítica general e inherente a las propias alternativas es que la reducción de la carga de los tribunales se realiza a costa de los derechos individuales que derivan del propio derecho al debido proceso[372]. Otra de las cuestiones espinosas es su falta de transparencia debido a que su imposición se realiza, muchas veces, en el seno de la policía sin necesidad de justificar sus decisiones[373], lo que provoca además que los agentes responsables de su imposición puedan disfrutar de un exceso de discrecionalidad – incluso de arbitrariedad – a la hora de decidir cuál debe ser la vía a elegir[374]. Esta discrecionalidad, además, puede provocar una disparidad en el uso de las alternativas

---

proceso, Fionda, J., *Public prosecutors and discretion: a comparative study*, cit., p. 219; Ashworth, A. / Redmayne, M., *The Criminal process*, cit., p. 164; Zander, M., *Diversion from criminal justice in an English context: report of a NACRO working party under the chairmanship of Michael Zander*, Chichester, 1975, p. 12.

[371] En un sentido similar, vid. Fionda, J., *Public prosecutors and discretion: a comparative study*, cit., p. 219.

[372] En este sentido, vid. Fionda, J., *Public prosecutors and discretion: a comparative study*, cit., p. 178; Harding, C. / Dingwall, G., *Diversion in the Criminal Process*, cit., p. 16.

[373] La única excepción a ello es en el caso de las *conditional cautions* puesto que, como se ha visto *supra*, es el *Crown Prosecution Service* quien debe tomar la decisión.

[374] Zander, M., *Diversion from criminal justice in an English context: report of a NACRO working party under the chairmanship of Michael Zander*, cit., p. 13.

según el territorio[375] y también según la clase social, sexo o raza de los individuos[376].

En cualquier caso, hemos visto que hay un elevado número de conductas que se encuentran en la frontera entre lo que debe considerarse ilícito penal o administrativo y que no existen criterios que permitan, de forma clara y ordenada, establecer límites, determinar la naturaleza, entre el Derecho penal y el administrativo sancionador. Ello lleva a que respecto de estos ilícitos la decisión sobre si la infracción debe ser considerada penal o administrativa y, consecuentemente, ser juzgada ante los tribunales penales o sancionada por una Administración Pública sea simplemente ajena a motivos técnicos y se deba, en no poca ocasiones, a criterios de carácter político o populista. Esta nebulosidad justifica la posibilidad de crear un mecanismo sancionador alternativo similar a los existentes en derecho comparado que dé respuesta a estas infracciones. Los tribunales penales españoles están congestionados y la utilización de esta vía (la penal) para supuestos menores no tiene sentido desde un punto de visto de gestión racional de los recursos económicos. El problema está en que la alternativa, la despenalización de estas conductas, plantea, como se ha visto, serias dudas en relación con los derechos fundamentales de los individuos que (presuntamente) cometen dichas conductas. Consecuentemente, se ha apostado por plantear una vía intermedia entre la penal y la administrativa. De hecho, ésta, tal como se ha podido comprobar al analizar la legislación comparada, es una preocupación común en la mayoría de países europeos. Tampoco el legislador español – como se ha visto – ha obviado esta cuestión y en los últimos años ha propuesto soluciones con el objetivo principal de agilizar la respuesta del sistema

---

[375]   Así, si a finales de los años 2000 el porcentaje de delitos que acudieron a alguna forma de *diversion* era alrededor del 30%, en algunos territorios llegaba al 47% mientras que en otros tan solo al 15%. Vid. Ashworth, A. / Redmayne, M., *The Criminal process*, cit., p. 175. Vid. también el estudio de Her Majesty's Inspectorate of Constabulary, *Excerising discretion: the gategay to justice*, cit., pp. 18-21. Lo apunta, también, Fionda, J., *Public prosecutors and discretion: a comparative study*, cit., p. 208 o A. Sanders, "The limits of diversion from prosecution", cit., p. 517.

[376]   Vid. Young, R., "From suspect to trial", en Maguire, M. / Morgan, R. / Reiner, R. (eds.), *The Oxford Handbook of Criminology*, cit., p. 187.

penal respecto de la criminalidad leve. La última de ellas, ha sido inspirada en el *procedimento per decreto* italiano.

2. PROPUESTA DE *LEGE FERENDA*.

Ante tal situación, se plantea lo que vendría a ser, consciente de la necesidad de abundar en cuestiones de carácter procesal, una primera aproximación a un posible sistema alternativo al proceso penal al estilo de los ordenamientos jurídicos comparados que se han analizado. Sin embargo, en la misma se tendrán en cuenta, y en la medida de lo posible se intentarán salvar, las objeciones que la doctrina y la jurisprudencia extranjeras han formulado frente a los mecanismos de *diversion*.

Siendo así, la idea que se defiende es que este mecanismo alternativo deba aplicarse a todos aquellos delitos leves, así como a los delitos clasificados como menos graves según lo establecido en el art. 13 CP siempre que éstos no sean violentos[377]. Igualmente, deberían incluirse nuevamente como delictivas algunas conductas que actualmente están reguladas en el ámbito administrativo[378]. Si bien, tal consecuencia conlleva de forma natural a una hipertrofia del Derecho penal, el hecho de que la consecuencia jurídica frente a estas conductas no sea, como se describirá, la imposición de una pena derivada de un proceso penal, sino un mecanismo alternativo a éste, salvaría gran parte de sus consecuencias negativas[379]. Al mismo tiempo, la comisión de alguna de estas infracciones, al ser consideradas de nuevo un ilícito penal,

---

[377] La pena de prisión, de hecho, debería reservarse solo para los casos – bien por la gravedad del ilícito, bien por las circunstancias del caso o del sujeto – verdaderamente graves.

[378] Aunque la determinación del alance de las infracciones supera el ámbito del trabajo – y también de las capacidades de su autor – tendría sentido regular como penales todas aquellas infracciones que, por generalidad, pudieran hacerse cargo los tribunales penales. En todo caso, tal como se ha expuesto *supra* deberían quedar fuera aquellas relativas a materias que suponen un grado de especialización muy elevado o supuestos en que es patente que de lo que se trata es de un supuesto de autotutela de la Administración.

[379] Defensora de introducir el principio de oportunidad en el Derecho penal sustantivo, a pesar de que acepta que con ello no se salva el problema de la hipertrofia

llevaría aparejada un incremento de los derechos que goza el supuesto infractor respecto de los que se posee en vía administrativa.

Consciente que tal alternativa vulneraría el principio de legalidad reconocido actualmente, debería, en su lugar, reconocerse la aplicabilidad del principio de oportunidad en el ordenamiento jurídico español. La verdad es que, a pesar de su falta de previsión en el *law in books*, hace ya tiempo que en el *law in action* el mencionado principio está aceptado a través de excepciones al proceso penal como son los juicios rápidos, la conformidad, la suspensión de la pena[380] o el nuevo proceso por aceptación de decreto. En este sentido, la propuesta que aquí se plantea pretende, con el objetivo de salvar los problemas que pudiera plantear respecto de los derechos individuales de los sujetos afectados o con el principio de seguridad, que se regulen los supuestos y circunstancias en que es posible su aplicación.

Un paso importante hacía el reconocimiento del principio de oportunidad en el Derecho procesal penal español puede encontrarse en el Anteproyecto de Código Procesal penal (ACPP) que presentó el Ministro de Justicia en noviembre 2020[381]. La Exposición de motivos del texto pre-legislativo establece que "un nuevo modelo procesal adaptado a las necesidades de la actual sociedad requiere la introducción limitada del principio de oportunidad" que tenga en cuenta los casos en que a pesar de haberse cometido un ilícito penal no existe una necesidad de pena o al menos no la prevista por el propio tipo penal.

Debería también modificarse el actual sistema procesal de carácter impositivo tornándolo en un sistema acusatorio en el que la instrucción fuera llevada por el Ministerio Fiscal y el actual juez instructor ejerciera funciones de juez de garantías, al estilo italiano o alemán[382]. Nuevamente, esta propuesta coincide con lo establecido en el Ante-

---

de la Administración de Justicia, vid. Aguado Correa, T., *El principio de proporcionalidad en Derecho penal*, cit., pp. 468-471.

[380] Sobre el papel de la suspensión de la pena como mecanismo para descongestionar el sistema de justicia penal español vid Varona Gómez, D., "La suspensión de la pena de prisión: razones de una historia de éxito", cit., quien expone de forma brillante el uso de la misma en supuestos incluso *contra legem*.

[381] Tendencia que ya se vio plasmada en el Anteproyecto de 2011 y en el borrador de Código Procesal penal de 2013.

[382] En este aspecto, el sistema inglés, dadas sus peculiaridades, no puede tenerse en cuenta, pues allí la policía no ejerce únicamente funciones ejecutivas, sino que

proyecto de Código Procesal Penal de 2020. En él se contempla que el Ministerio Fiscal sea el órgano encargado de dirigir la introducción (art. 87 ACPP) a la vez que se prevé la creación de la figura del juez de garantías (entre otros, art. 585 ACPP).

Por lo que parece, el Anteproyecto de Código Procesal Penal prevé también dos mecanismos alternativos al proceso penal similares a lo aquí defendido. En el caso de texto pre-legislativo, se establece un primer mecanismo llamado "archivo por oportunidad" que permite al Ministerio Fiscal – en tanto que responsable de la instrucción del proceso – decretar el archivo de la investigación para los delitos castigados con penas de prisión de hasta dos años, con multa cualquiera que sea su extensión, o con privación de derechos que no exceda de diez años (art. 175.1 ACPP). A su vez, se regula un segundo mecanismo que supone el archivo con condiciones. En este caso, el mecanismo alternativo se prevé incluso para penas de prisión de hasta cinco años y lleva aparejada la imposición de alguna de las condiciones previstas en el art. 176.1. ACPP[383]. A diferencia de lo que aquí se pro-

---

ejerce otras muchas que en el sistema continental tiene asumidas el Ministerio Público

[383] Se incluye:

  a) Indemnizar al ofendido o perjudicado en la forma y cantidad que haya sido determinada.

  b) Dar al ofendido o perjudicado una satisfacción moral que este considere adecuada y suficiente.

  c) Entregar al Estado o a instituciones públicas o privadas homologadas la cantidad que haya sido fijada para que sea destinada a obras sociales o comunitarias.

  d) No acudir a determinados lugares.

  e) No aproximarse a la víctima, o a aquellos de sus familiares u otras personas que determine el decreto del fiscal, o no comunicarse con ellos. f) No ausentarse del lugar donde resida.

  g) Comparecer personalmente en la fiscalía, o en el servicio de la Administración que se señale al efecto, para informar de sus actividades y justificarlas.

  h) Participar en programas formativos, laborales, culturales, de educación vial, sexual u otros similares.

  i) Someterse a tratamiento de deshabituación en centro o servicio público o privado debidamente acreditado u homologado, sin abandonar el mismo hasta su finalización.

  j) Cumplir los demás deberes que el fiscal estime convenientes para su rehabilitación social, previa conformidad del investigado, siempre que no atenten contra su dignidad como persona.

pone, el archivo se prevé para casos de mínima culpabilidad, mínima insignificancia del hecho o por desproporcionalidad de la pena (art. 175.1 ACPP). Esto es, como excepción a la tramitación ordinaria del proceso penal. Igualmente, se excluye de su aplicación los casos en que haya mediado violencia, sea reincidente, el investigado se haya beneficiado previamente de este mecanismo alternativo o la víctima sea menor de 13 años (175.2 ACPP). Tampoco frente a delitos de violencia de género o de corrupción.

Contrariamente a la propuesta de Anteproyecto, en el borrador que aquí se presenta, el nuevo mecanismo alternativo debería activarse ante cualquier delito leve o menos grave no violento, siempre que, de acuerdo con las circunstancias del sujeto y los hechos, se estime que no existe un interés público en proceder con la acusación. En este sentido, partiendo del principio de *ultima ratio*, la regla general – a diferencia de lo establecido en el Anteproyecto de Código Procesal Penal – debería ser la aplicación del mecanismo. En cambio, solo en los casos en que concurrieran determinadas circunstancias[384] debería considerase inadecuada la opción de aplicar el mecanismo alternativo al proceso. En principio, tampoco se estima pertinente limitarlo a determinados ilícitos penales. De hecho, establecer excepciones por el mero hecho de haber cometido un determinado delito más que por las circunstancias que envuelven el caso recuerda la política criminal llevada a cabo en los últimos años por el legislador español frente a aquellos delincuentes terroristas o sexuales o frente a la llamada delincuencia organizada[385] y que justamente es contraria a la idea de Derecho penal aquí defendida, donde la resocialización y la reducción del uso de la pena de prisión son unos de los pilares importantes.

Este mecanismo alternativo sería de aplicación frente a sujetos sin antecedentes penales y no debería proponerse de forma insistente

---

[384] Se está pensando en casos en que concurre violencia o intimidación, se comete el delito en el seno de una organización criminal, etc.

[385] Piénsese en las diversas medidas dirigidas a endurecer la ejecución de la pena de prisión (periodo de seguridad o cumplimiento íntegro de la pena), la mayor dificultad en acceder a la libertad condicional o la incorporación de una sanción añadida a la pena a través de la medida de seguridad llamada libertad vigilada. Todas ellas, están inmersas en lo que la doctrina ha venido a llamar derecho penal del enemigo, derecho penal de autor o derecho penal de excepción.

frente a los mismos sujetos en un periodo de tiempo concreto[386]. Con ello se evitaría la utilización perversa de este nuevo mecanismo; esto es, que acabe siendo la vía procedimental ordinaria de aquellos que cometen delitos leves de forma reiterada. En cualquier caso, sería conveniente reservar la pena de prisión solo para los delitos castigados con pena grave, de modo que en el resto de casos en que se cometan delitos menos graves y no sea posible la aplicación del mecanismo alternativo que aquí se propone se acuda a la imposición de penas alternativas a la prisión. La prisión, pues, en tanto que pena más grave, debe reservarse para los casos más graves, como *ultima ratio* del Derecho penal[387].

Esta alternativa podría ser propuesta por el Ministerio Fiscal una vez fuera conocedor de la *notitia criminis*, si bien podría plantearse incluso que la propia policía fuera quien considerara su aplicación justo en el momento, si es el caso, en que comunica al Ministerio Público la presunta comisión de un delito[388]. Tanto en uno como otro caso, solo debería proponerse el mecanismo alternativo frente a aquellos supuestos en que el Ministerio Fiscal tuviese pruebas suficientes para considerar que se ha cometido un determinado delito y que el sujeto en cuestión es responsable del mismo[389].

La propuesta de aplicación de este mecanismo alternativo suspende condicionalmente el proceso penal y conlleva el cumplimiento de una o varias condiciones. Estas condiciones deberían dirigirse, bien

---

[386] Este periodo de tiempo bien podría establecerse en 2 años, pues, según algunos estudios, una vez superado este periodo han reincidido ya aproximadamente el 90% de los sujetos que van a reincidir. Vid., a modo de ejemplo, M. Capdevila Capdevila et al, *Taxa de riencidència penitenciària*, Centre d'Estudis Jurídics i Formació Especialitzada, 2015, p. 215.

[387] Ello nos aproximaría al proceso de europeización del que habla Cid Moliné, J., "El futuro de la prisión en España", *Revista Española de Investigación Criminológica*, núm. 18, 2020.

[388] En la propuesta que aquí se defiende, a diferencia de lo que ocurre en Inglaterra y Gales, no se considera apropiado que la policía sea quien pueda acordar la imposición del mecanismo alternativo. Ello es así debido a las diferencias orgánicas y funcionales de la policía española frente a la inglesa. En su lugar, pues, se considera más apropiado que pueda informar al Ministerio Público de su idoneidad, pero, en todo caso, debe ser una decisión de este último.

[389] Caso contrario; es decir, en los casos en que el Ministerio Fiscal constata la falta de indicios criminales, lo que deberá es decretar el archivo de las actuaciones.

a la rehabilitación del sujeto, bien a la reparación de la víctima del delito o la comunidad, bien a ambos objetivos. Entre las condiciones dirigidas a la rehabilitación podría establecerse la participación en programas de formación, reeducación, tratamiento, o programas de justicia restaurativa. Respecto de las condiciones destinadas a reparar a la víctima o a la comunidad debería incluirse, entre otras, la reparación del daño causado, la realización de trabajos en beneficio de la comunidad o el pago de daños y perjuicios. Estas condiciones deben respetar el principio de proporcionalidad, por lo que deben ser ajustadas a la gravedad de los hechos y circunstancias personales del sujeto. No se considera apropiada la posibilidad de que no se imponga ningún tipo de condición o consecuencia, tal como sucede con la *simple caution* o el archivo por oportunidad previsto en el ACPP de 2020, por dos razones. Primero, porque ello favorecería esta vía respecto de la administrativa[390]. Segundo, porque tendría efectos negativos en el fin retributivo de la pena, pero sobre todo en la prevención tanto especial como general.

La decisión final, empero, y dado que el Ministerio Fiscal ejercería funciones de instrucción, debería corresponder a un agente del sistema de justicia penal imparcial, por lo que bien podría ejercer dicha función el juez de garantías[391]. A este le correspondería comprobar que se cumplen los requisitos objetivos y que además el sujeto, una vez comunicada la decisión, acepta los hechos que se le "imputan" y las consecuencias derivadas de tal decisión. La aceptación de los hechos, debería realizarse, en todo caso, una vez hecha la propuesta de alternativa y el juez de garantías hubiera comprobado que existen pruebas de cargo suficientes. El objetivo de ello persigue justamente evitar que el sujeto se sienta presionado a admitir unos hechos de los que no es responsable para así evitar una hipotética condena penal.

Aceptada la alternativa por parte del sujeto afectado y el juez de garantías, debería establecerse un periodo de tiempo concreto durante

---

[390] Con ello, se refiere al hecho de que no tiene sentido de que la comisión de una infracción administrativa suponga consecuencias más gravosas que la aplicación del Derecho penal.

[391] En el ACPP es el propio Ministerio Fiscal el que decreta el archivo, según se dispone en el art. 175 del mencionado texto pre-legislativo, a diferencia de lo que se ha visto en relación con el derecho comparado.

el cual deberían cumplirse las obligaciones impuestas[392]. El cumplimiento de las mismas debería ir a cargo del servicio de gestión de penas y medidas alternativas y el propio Ministerio Fiscal. Si estas son cumplidas de manera satisfactoria, la acción penal debería quedar precluida – debería tener efecto *bis in idem* – y en ningún caso debería computar a efectos de antecedentes penales. En el supuesto de incumplimiento manifiesto de las condiciones impuestas, la consecuencia jurídica debería ser la de dar por terminada la alternativa y ejercer la acción penal por el delito original.

En cualquier caso, debería preverse la posibilidad de que el sujeto no acepte la sanción propuesta y que se optase por seguir el proceso penal pertinente. Al fin y al cabo, siempre quedará la opción de más Derecho penal.

Tal como se ha indicado *supra*, se plantea también la creación de un segundo mecanismo alternativo pensado principalmente para aquellos ilícitos frente a los que, a pesar de considerarse por parte del legislador la idoneidad de que estén tipificados como delitos, se considera, a su vez, que la respuesta penal no es siempre la más adecuada. En el Capítulo II de la presente obra se ha mencionado como ejemplos, el caso de los delitos contra las relaciones familiares, los matrimonios forzados o el *stalking*. Como ya se ha indicado, estos son casos en que justamente por la relación entre ofensor y víctima o por la mínima entidad de los hechos, la mejor solución no es que el sujeto condenado termine castigado al pago de una multa o cumpliendo una pena de prisión. El objetivo de este mecanismo, pues, es dar una respuesta al conflicto penal adecuada a las necesidades de las víctimas del delito según se desprende de la investigación victimológica al respecto y al estilo de lo que sucede en el derecho comparado. En este sentido, todos los países analizados en el presente trabajo prevén algún tipo de medida de esta naturaleza, si bien en algunos casos solo es aplicable cuando el *stalking* es una manifestación de la violencia de género o doméstica[393].

---

[392] En el ACPP se establece un periodo máximo de 2 años, lo que parece razonable teniendo en cuenta los periodos establecidos para la suspensión de la pena del art. 81 CP. En ningún caso podría parecer proporcional que fuera superior.

[393] A esta lista, deben sumarse muchos otros países europeos. Así, entre otros, Austria, Bélgica, República Checa, Dinamarca, Estonia, Grecia. También, aunque

En este sentido, este segundo mecanismo está pensado sobre todo para aquellas víctimas de delitos que no quieren acudir al sistema de justicia penal, que no consideran adecuado presentar una denuncia en tanto ello puede suponer la más que probable condena del agresor. Su previsión, además, daría respuesta a las exigencias previstas en el art. 53 del Convenio de Estambul, sobre prevención y lucha contra la violencia contra las mujeres y la violencia doméstica. Según el mencionado artículo, los estados parte deben adoptar aquellas medidas necesarias para que las víctimas de todas las formas de violencia incluidas en el Convenio, entre las que se incluye el *stalking* (art. 34), puedan beneficiarse de mandamientos u órdenes de protección adecuados. Estas órdenes o mandamientos deben, tal como se estipula en el propio Convenio: ofrecer una protección inmediata, no suponer una carga económica o administrativa excesiva para la víctima, poder imponerse, incluso, sin audiencia a la otra parte y con efecto inmediato y, además, poder disponerse de forma independiente o acumulable a otros procedimientos judiciales.

Este mecanismo, por tanto, estaría pensado principalmente a dar una solución a aquellas víctimas que no quisieran iniciar un proceso penal contra su ofensor[394], pero que en cambio sí que solicitaran algún tipo de protección. Entre las distintas instituciones analizadas, resulta muy interesante el *ammonimento* italiano. Su regulación no supone una grave afectación al derecho a la libertad previsto en el art. 17 CE, a la vez que tiene como finalidad evitar que el ofensor vuelva a molestar a la víctima del delito. La medida, por tanto, no supondría una prohibición directa de acercarse o comunicarse con la víctima, pero *de facto* tendría el mismo sentido, pues en caso de hacer una u otra acción equivaldría a molestar a la víctima y por tanto se produciría un quebrantamiento de la misma. En este caso, tal como sucede con la legislación italiana y establece expresamente el Convenio de

---

solo para casos de violencia doméstica o de género, Francia, Hungría, Lituania, Rumanía y Suecia. Sobre ello, vid. van der Aa, S. / Niemi, J. / Sosa, L. / Ferreira, A. / Baldry, A., *Mapping the legislation and assessing the impact of Protection Orders in the European Member States*, cit., así como los informes de cada uno de los distintos países.

[394] Piénsese que, en muchas ocasiones, como se ha visto *supra*, es un familiar, pareja, expareja, u otra persona relacionada con la víctima.

Estambul (art. 53.3), debería adoptarse algún tipo de medida. Su incumplimiento, en tanto que sanción de naturaleza administrativa e impuesta por la policía, podría conllevar la comisión una infracción administrativa por desobediencia a la autoridad, regulada como infracción grave en el art. 36.6 LO 4/2015, de protección de la seguridad ciudadana, y castigada con multa de 601 a 30000 euros. Incluso en aquellos casos en que tal desobediencia se considerara grave, los hechos podrían ser calificados de delito de desobediencia a la autoridad, regulado en el art. 556 CP, castigado con pena de prisión de 3 meses a 1 año o multa de 6 a 18 meses. Sin embargo, otra posibilidad que puede incluso tener una mayor efectividad en lo que a prevención especial se refiere es seguir la línea de la legislación italiana y prever el quebrantamiento de la orden de no molestar a la víctima como una circunstancia agravante, bien establecida como genérica, bien en el concreto o concretos tipos que se considere adecuada su previsión. En el caso del delito de *stalking*, debería modificarse el art. 172 ter CP en el sentido de introducir un nuevo apartado o modificar el apartado 2º para establecer de forma expresa que el quebrantamiento de la prohibición de una orden de protección a la víctima impuesta por la policía supone la imposición de la pena prevista en el tipo básico en su mitad superior. Debería igualmente establecerse una previsión similar a la existente en el actual art. 172 ter.2 CP en el sentido de que, en caso de concurrir tal circunstancia, ya no sería necesaria la denuncia de la persona agraviada o su representante legal para poder iniciar un proceso penal contra el presunto ofensor. Finalmente, tanto en uno como otro caso, resulta imprescindible que, en el momento de amonestar al ofensor, la policía notifique verbalmente y por escrito que, en caso de incumplimiento de la prohibición de molestar a la víctima, podrá iniciarse un proceso penal contra él por la presunta comisión de un delito de *stalking* en su modalidad agravada.

BIBLIOGRAFÍA

AGUADO CORREA, T., *El principio de proporcionalidad en Derecho penal*, Ed. Edersa, Madrid, 1999.

ALARCÓN SOTOMAYOR, L., "Los confines de las sanciones: en busca de la frontera entre Derecho penal y Derecho administrativo sancionador", *Revista de Administración Pública*, núm. 195, 2014, pp. 145-146.

ALARCÓN SOTOMAYOR, L., *El procedimiento administrativo sancionador y los derechos fundamentales*, Ed. Civitas, Madrid, 2007.

ALLEN, R., "Alternatives to prosecution", MCCONVILLE, M. / WILSON, G. (eds.), *The Handbook of the Criminal Justice Process*, Oxford University Press, Oxford, 2002, pp. 167-182.

AMISANO, M., "Un'analisi giuridica e criminologica del fenomeno di stalking", *Revista da Faculdade de Direito da UFMG*, núm. 66, 2015, pp. 595-614.

ANTÓN GARCÍA, L. / LARRAURI PIJOAN, E., "Violencia de género ocasional: un análisis de las penas ejecutadas", *Revista Española de Investigación Criminológica*, núm. 7, 2009, pp. 1-26.

ASHWORTH, A. / REDMAYNE, M., *The Criminal process: Fourth Edition*, Oxford University Press, Oxford, 2010.

ASHWORTH, A. / ROBERTS, J. "Sentencing: theory, principle, and practice", MAGUIRE, M. / MORGAN, R. / REINER, R. (eds.), *The Oxford Handbook of Criminology*, 5ª ed., Oxford University Press, Oxford, 2012, pp. 866-894.

ASHWORTH, A. / ZEDNER, L., "Defending the Criminal Law: Reflections on the Changing Character of Crime, Procedure, and Sanctions", *Criminal Law and Philosophy*, vol. 2, 2008, pp. 21-51.

AULD, R., *A review of the Criminal Courts of England and Wales*, Ministry of Justice, London, 2001.

BAJO FERNÁNDEZ, M. / MENDOZA BUERGO, B., "Hacia una Ley de contravenciones el modelo portugués", *Anuario de Derecho penal y Ciencias penales*, Tomo 36, Fascículo 3, 1983, pp. 567-590.

BAJO FERNÁNDEZ, M., "Nuevas tendencias en la concepción sustancial del injusto penal. Recensión a Bernando Feijoo, *Normativización del Derecho penal y realidad social*, Bogotá (Universidad Externado de Colombia) 2007", *InDret: Revista para el análisis del derecho*, núm. 3, 2008, pp. 1-10.

BALDRY, A. / DE GEUS, L., *Mapping the legislation and assessing the impact of Protection Orders in the European Member States. National Report Italy*, POEMS project, 2015.

BANKS, R., *Banks on Sentence*, Ed. Banks, Etchingham, 2016.

BENEDETTI, M. / MAZZOLA, R. / SCIARRINO, M., "Stalking: comparazione nei sistema di common e civil law", *Profiling: I profili dell'abuso*, núm. 4, 2014, pp. 1-18.

BOHLANDER, M., *Principles of German Criminal Procedure*, Ed. Hart, Oxford, 2012.

BRANSTON, G., "A Reprehensible Use of Cautions as Bad Character Evidence?", *Criminal Law Review*, vol. 8, 2015, pp. 594-610.

BUDD, T. / MATTINSON, J., *The extent and nature of stalking: findings from the 1998 British Crime Survey*, Home Office, London, 2000.

BUSTOS RAMÍREZ, J., *Manual de Derecho penal. Parte general*, Ed. Ariel, Barcelona, 1989.

CANO CAMPOS, T., "El concepto de sanción y los límites entre el Derecho penal y el Derecho administrativo sancionador", BAUZÁ MARTORELL, F. J. (Dir.), *Derecho administrativo y Derecho penal: reconstrucción de los límites*, Ed. Bosch, Barcelona, 2017, pp. 207-236.

CAPDEVILA, M. (Coord.) et al., *Taxa de riencidència penitenciària 2014*, Centre d'Estudis Jurídics i Formació Especialitzada, Barcelona, 2015.

CASINO RUBIO, M., *El concepto constitucional de sanción administrativa*, Ed. CEPC, 2018.

CEREZO MIR, J., "Límites entre el Derecho penal y el Derecho administrativo", *Anuario de Derecho penal y Ciencias penales*, Tomo XXVIII, Fascículo II, mayo-agosto, 1975, pp. 159-173.

CID MOLINÉ, J., "El futuro de la prisión en España", *Revista Española de Investigación Criminológica*, núm. 18, 2020.

CID MOLINÉ, J., "El incremento de la población reclusa en España entre 1996-2006: diagnóstico y remedios", *Revista Española de Investigación Criminológica: REIC*, núm. 6, 2009, pp. 1-31.

CID MOLINÉ, J., "Garantías y sanciones (argumentos contra la tesis de la identidad de garantías entre las sanciones punitivas)", *Revista de Administración Pública*, núm. 140, 1996, pp. 131-172.

COBO DEL ROSAL, M. / BOIG REIG, F. J., "Garantías constitucionales del Derecho sancionador", COBO DEL ROSAL (Dir.), *Comentarios a la legislación penal*, tomo I, Ed. Edersa, Madrid, 1982, pp. 191-216.

COBO DEL ROSAL, M. / VIVES ANTÓN, T. S., *Derecho penal. Parte general*, Tomo I, Universidad de Valencia, Valencia, 1980.

CONSO, G. / GREVI, V. (dirs.), *Compendio di proedura penale*, 4ª ed., Ed. Cedam, Padova, 2008.

CORDERO QUINZACARA, E., "El Derecho administrativo sancionador y su relación con el Derecho penal", *Revista de Derecho*, vol. XXV, núm. 2, 2012, pp. 131-157.

DE FAZIO, L., "Criminalization of Stalking in Italy: one of the las among the current European Member States' Anti-Stalking Laws", *Behavioral Sciences and the Law*, vol. 29, 2011, pp. 317-323.

DÍEZ-PICAZO GIMÉNEZ, L. M., "La potestad jurisdiccional: características constitucionales", *Parlamento y Constitución. Anuario*, núm. 2, 1998, pp. 67-77.

DOMÉNECH PASCUAL, G., "Los derechos fundamentales a la protección penal", *Revista Española de Derecho Constitucional*, núm. 78, 2006, pp. 333-372.

DUTTON, L. / WINSTEAD, B., "Types, frequency, and effectiveness of response to unwanted pursuit and stalking", *Journal of Interpersonal Violence*, vol. XX, núm. X, 2010, pp. 1129-1156.

FARALDO CABANA, P., *Los delitos leves. Causas y consecuencias de la desaparición de las faltas*, Ed. Tirant lo Blanch, Valencia, 2016.

FENNER, S. / GUDJONSSON, G. / CLARE, I., "Understanding of the current police caution (England and Wales) among suspects in police detention", *Journal of Community & Applied social Psychology*, núm. 12, 2002, pp. 323-329.

FERRAJOLI, L., *Democracia y garantismo*, Ed. Trotta, Madrid, 2010.

FERRAJOLI, L., *El paradigma garantista. Filosofía crítica del Derecho penal*, Ed. Trotta, Madrid, 2018.

FINCH, E., *The Criminalisation of Stalking: Constructing the Problem and Evaluating the Solution*, Cavendish Publishing Limited, London, 2001.

FIONDA, J., *Public Prosecutors and Discretion: A Comparative Study*, Carendon Press, Oxford, 1995.

FRA – European Union for Fundamental Rights, *Violence against women: an EU-wide Survey. Main results report*, Publication Office of the European Union, Luxembourg, 2015.

GARBERÍ LLOBREGAT, J., *La aplicación de los derechos y garantías constitucionales a la potestad y al procedimiento administrativo sancionador*, Ed. Trivium, Madrid, 1989.

GARCÍA ALBERO, R., "La relación entre ilícito penal e ilícito administrativo: texto y contexto de las teorías sobre la distinción de ilícitos", QUINTERO OLIVARES, G. / MORALES PRATS, F. (Dirs.), *El nuevo Derecho penal económico. Estudios penales en memoria del profesor José Valle Muñiz*, Ed. Aranzadi, Pamplona, 2001, pp. 295-400.

GARCÍA ARÁN, M., "Despenalización y privatización: ¿tendencias contrarias", ARROYO ZAPATERO, L. A. / NIETO MARTÍN, A. / NEUMANN, F. (coords.), *Critica y justificación del Derecho penal en el cambio del siglo: el análisis crítico de la Escuela de Frankfurt*, Ed. Universidad de Castilla- La Mancha, 2003.

GARCÍA DE ENTERRÍA, E., "El problema jurídico de las sanciones administrativas", *Revista Española de Derecho Administrativo*, núm. 10, 1976, pp. 399-430.

GÓMEZ COLOMER, J. L., *El proceso penal alemán: introducción y normas básicas, Traducción de la Ley procesal alemana y de sus normas complementarias, Diccionario jurídico procesal-penal (Alemán-Español)*, Ed. Bosch, Barcelona, 1985.

HARDING, C. / DINGWALL, G., *Diversion in the Criminal Process*, Ed. Sweet & Maxwell, Mytholmroyd, 1998.

Her Majesty's Inspectorate of Constabulary, *Excerising discretion: the gategay to justice*, Criminal Justice Joint Inspection, London, 2011.

HILL, F., "Restorative justice and the absent victim: new data from the Thames Valley", *International Review of Victimology*, vol. 9, 2002, pp. 273-288.

HOLDAWAY, S., "The final warning. Appearance and reality", *Criminology & Criminal Justice*, vol. 3(4), 2003, pp. 351-367.

HOYLE, C., "Restorative justice, victims and the police", Newburn, R. (ed.), *Handbook of policing*, 2ª ed., Ed. Routledge, Oxford, 2009, pp. 794-823

HUERGO LORA, A., *Las sanciones administrativas*, Ed. Iustel, Madrid, 2007.

JACKSON, J. "Police and Prosecutors after PACE: The Road from Case Construction to Case Disposal", CAPE, E. / YOUNG, R.(eds.), *Regulating policing: the Police and Criminal Evidence Act 1984 past, present and future*, Ed. Hart, Oxford, 2008, pp. 255-278.

JARIA I MANZANO, J., "El marco constitucional del Derecho Penal", Quintero Olivares, G. (dir.), *Derecho Penal Constitucional*, Ed. Tirant lo Blanch, 2015.

JASCH, M., "Police and prosecutions: vanishing differences between practices in England and Germany", *German Law Journal*, vol. 5, núm. 10, 2004, pp. 1207-1216.

JEHLE, J., *Criminal Justice in Germany. Facts and Figures*, 6ª ed., Federal Ministry of Justice and Consumer Protection, Berlin, 2015.

KOOIJMANS, T., "The extrajudicial disposal of criminal cases", GROEN-HUIJSEN, M./ KOOIJMANS, T. (eds.), *The reform of the Dutch Code of Criminal Procedure in comparative perspective*, Ed. Martinus Nijhoff, Leiden, 2012, pp. 81-105.

LARRAURI, E., "Antecedentes penales y expulsión de personas inmigrantes", *Indret*, 2/2016.

Lascuraín Sánchez, J. A., "Por un Derecho penal sólo penal: Derecho penal, Derecho de medidas de seguridad y Derecho administrativo sancionador", Jorge Barreiro, A. (Coord.), *Homenaje al profesor Dr. Gonzalo Rodríguez Mourullo*, Ed. Civitas, Madrid, 2005, pp. 587-625.

Luna, E. / Wade, M., *The Prosecutor in Transnational Perspective*, Oxford University Press, Oxford, 2012.

Luzón Peña, D., *Lecciones de Derecho penal. Parte general*, Ed. Tirant lo Blanch, Valencia, 2016.

Martí Barrachina, M., "Prisoners in the community: the open prison model in Catalonia", Nordisk Tidsskrift for Kriminalvidenskab, 2/2019.

Martí Barrachina, M. / Larrauri, E., "Una defensa de la clasificación inicial de las penas cortas en régimen abierto", *Revista Española de Investigación Criminológica*, vol. 18, 2020.

Martín-Retortillo Baquer, L., "Multas administrativas", en *Revista de Administración pública*, núm. 79, 1976, pp. 9-65.

Matos, M. (Coord.) / Grangeia, H. / Ferreira, C. / Azevedo, V., *Inquérito de Victimição por Stalking. Relatório de Investigação*, Universidade do Minho, Braga, 2011.

Mattes, H., *Problemas de Derecho penal administrativo. Historia y Derecho comparado*, Ed. Edersa, Madrid, 1979.

McConville, M. / Sanders, A. / Len, R., *The case for the prosecution. Police suspect and the construction of criminality*, Ed. Routledge, London, 1991.

Merkl, A., *Teoría general del Derecho administrativo*, Ed. Comares, Granada, 2004.

Ministry of Justice, *Code of Practice for Adult Conditional Cautions. Part 3 of the Criminal Justice Act 2003*, The Stationery Office, London, 2013.

Ministry of Justice, *Penality Notices for Disorder (PNDs)*, 2014.

Ministry of Justice, *Quick reference guides to out of courts disposals*, 2013.

MIR PUIG, S., *Derecho penal. Parte general*, 10ª ed., Ed. Reppetor, Barcelona, 2015.

NAVARRO CARDOSO, F., *Infracción administrativa y delito: límites a la intervención del Derecho penal*, Ed. Colex, Madrid, 2001.

NEUMANN, U., "El principio de proporcionalidad como principio limitador de la pena", Robles Planas, R. (ed.), *Límites al Derecho penal. Principios operativos en la fundamentación del castigo*, Ed. Atelier, Barcelona, 2012.

NIETO GARCÍA, A., *Derecho administrativo sancionador*, 5ª ed., Ed. Tecnos, Madrid, 2012.

P. HYNES / M. ELKINS, "Suggestions for reform to the police cautioning procedure", *Criminal Law Review*, 2013, pp. 969-971.

PADFIELD, N. / MORGAN, R. / MAGUIRE, M., "Criminal sanctions and non-judicial decision-making", MAGUIRE, M. / MORGAN, R. / REINER, R. (eds.), *The Oxford Handbook of Criminology*, 5ª ed., Oxford University Press, Oxford, 2012, pp. 955-985.

PADFIELD, N., *Text and material on the Criminal Justice Process*, 4ª ed., Oxford University Press, Oxford, 2008.

PARADA VÁZQUEZ, R., "El poder sancionador de la Administración y la crisis del sistema judicial penal", *Revista de administración pública*, núm. 67, 1972, pp. 41-94.

PAREJO ALFONSO, L., "La deriva de las relaciones entre los Derechos Administrativos y Penal. Algunas reflexiones sobre la necesaria recuperación de su lógica sistémica", en LÓPEZ MENUDO, F. (Coord.), *Derechos y garantías del ciudadano. Estudios en homenaje al Profesor Alfonso Pérez Moreno*, Ed. Iustel, Madrid, 2011, pp. 949-984.

PAREJO ALFONSO, L., *Lecciones de Derecho administrativo*, Ed. Tirant lo Blanch, Valencia, 2012.

PERIS RIERA, J. M., *El proceso despenalizador*, Ed. Universidad de Valencia, Valencia, 1983.

POLAINO NAVARRETE, M., "Derecho penal y ordenamiento sancionador", POLAINO NAVARRETE, M. (Comp.), *Estudios jurídicos sobre la reforma penal*, Universidad de Córdoba, Córdoba, 1987, pp. 247-290.

PRADEL, J., *Procédure pénale*, 15ª ed., Ed. Cujas, Paris, 2010.

PRIETO SANCHÍS, L., "La jurisprudencia constitucional y el problema de las sanciones administrativas en el estado de Derecho", *Revista Española de Derecho Constitucional*, núm. 4, 1982, pp. 99-122.

QUINTERO OLIVARES, G. (dir.), *Derecho penal constitucional*, Ed. Aranzadi, 2015.

QUINTERO OLIVARES, G., "La autotutela, los límites al poder sancionador de la Administración Pública y los principios inspiradores del Derecho penal", en *Revista de Administración Pública*, núm. 126, 1991, pp. 253-296.

QUINTERO OLIVARES, G., *Parte general del Derecho Penal*, 5ª ed., Ed. Aranzadi, Pamplona, 2015.

RANDO CASERMEIRO, P., *La distinción entre el Derecho penal y el Derecho administrativo sancionador. Un análisis de política jurídica*, Ed. Tirant lo Blanch, Valencia, 2010.

REBOLLO PUIG, M., "Derecho administrativo sancionador y Derecho penal", REBOLLO PUIG, M. / IZQUIERDO CARRASCO, M. / ALARCÓN SOTOMAYOR, L. / BUENO ARMIJO, A. Mª., *Derecho administrativo sancionador*, Ed. Lex Nova, Madrid, 2010.

REBOLLO PUIG, M., "Derecho Penal y Derecho Administrativo sancionador: principios comunes y aspectos diferenciadores", LOZANO CUTANDA, B. (Dir.), *Diccionario de sanciones administrativas*, Ed. Iustel, Madrid, 2010.

ROBERTS, J. / ASHWORTH, A., "The evolution of Sentencing Policy and Practice in England and Wales, 2003-2015", *Crime and Justice*, vol. 45, 2016, pp. 1-52.

ROVIRA I SOPEÑA, M., *Antecedentes penales y mercado laboral*, Tesis doctoral defendida en la Universitat Pompeu Fabra, 2016.

ROXIN, C., *Derecho penal. Parte general. Tomo I*, Ed. Civitas, Madrid, 1997.

SALAT PAISAL, M., "Derecho penal y matrimonios forzados. ¿Es adecuada la actual política criminal?", *Política Criminal*, vol. 15, núm. 29, 2020.

SALAT PAISAL, M., "El Derecho penal como prima ratio: la inadecuación del Derecho administrativo sancionador y la necesidad de buscar soluciones en el seno del Derecho penal", *Revista General de Derecho Administrativo*, vol. 51, 2019.

SALAT PAISAL, M., "Sanciones aplicables a manifestaciones contemporáneas de violencia de género de escasa gravedad: el caso de stalking", *Indret*, 1/2018.

SANDERS, A. / YOUNG, R., "From suspect to trial", MAGUIRE, M. / MORGAN, R. / REINER, R. (eds.), *The Oxford Handbook of Criminology*, 5ª ed., Oxford University Press, Oxford, 2012, pp. 856-857.

SANDERS, A., "The limits of diversion from prosecution", *British Journal of Criminology*, vol. 28, núm. 4, 1988, pp. 527-528.

SCHÖCH, H., *Mapping the legislation and assessing the impact of Protection Orders in the European Member States. National Report Germany*, POEMS project, 2015.

SCHÜNEMANN, B., "Protección de bienes jurídicos, ultima ratio y victimodogmática. Sobre los límites inviolables del Derecho Penal en un Estado de Derecho Liberal", ROBLES PLANAS, R. (ed.), *Límites al Derecho penal. Principios operativos en la fundamentación del castigo*, Ed. Atelier, Barcelona, 2012, pp. 63-85.

SEBER, G., ", A., "¿Puede ser «subsidiario» el Derecho Penal? Aporías de un principio jurídico «indiscutido»", ROBLES PLANAS, R. (ed.), *Límites al Derecho penal. Principios operativos en la fundamentación del castigo*, Ed. Atelier, Barcelona, 2012, pp. 129-144.

SEVDIREN, Ö., *Alternatives to imprisonment in England and Wales, Germany and Turkey*, Ed. Springer, London, 2011.

SILVA FORNÉ, D., "Posibles obstáculos para la aplicación de los principios penales al Derecho administrativo sancionador", DÍEZ RIPOLLÉS, J. L. (Coord.), *La ciencia del Derecho penal ante el nuevo siglo. Libro Homenaje al profesor doctor don José Cerezo Mir*, Ed. Tecnos, Madrid, 2002, pp. 179-182.

SILVA SÁNCHEZ, J M., *Aproximación al Derecho penal contemporáneo*, 2ª ed., Ed. B de F, Buenos Aires, 2010.

SILVA SÁNCHEZ, J. M., *La expansión del Derecho penal. Aspectos de la Política criminal en las sociedades postindustriales*, 2ª ed., Ed. B de F, Buenos Aires, 2006.

STRICKLAND, P., *Stalking: criminal offences*, Briefing Paper, núm. 6261, June 2017, House of Commons. Library, 2017.

TAK, P. J. P., "Methods of diversión used by the prosecution services in the Netherlands and other western European countries", *UNA-FEI. Resource Material Series*, núm. 74, 2008, pp. 53-64.

TAK, P. J. P., *The Dutch Criminal justice system*, Wolf Legal Publishers, Nijmegen, 2008.

THAMAN, S. C., "The Penal Order. Prosecutorial sentencing as a model for criminal justice reform?", LUNA, E. / WADE, M., *The Prosecutor in Transational Persepective*, Oxford University Press, Oxford, 2012, pp. 156-175.

THOMAS, T., *Criminal records. A database for the Criminal Justice System and Beyond*, Ed. Palgrave Macmillan, Basingstoke, 2007.

TJADEN, P. / THOENNES, N., *Stalking in America: findings from the National Violence Against Women Survey*, US Department of Justice, Washington DC, 1998.

TONINI, P., *Manuale di procedura penale*, 7ª ed., Ed. Giuffrè, Milano, 2006.

TORNO MAS, J., "¿Quién debe ejercer el «ius puniendi» del Estado?", *Revista Española de Derecho Administrativo*, núm. 161, 2014, pp. 11-16.

TYLER, T. *Why People Obey the Law*, Ed. Princeton University Press, 2006.

VAN DER AA, S. / NIEMI, J. / SOSA, L. / FERREIRA, A. / BALDRY, A., *Mapping the legislation and assessing the impact of Protection Orders in the European Member States*, Wolf Legal Publishers, Oisterwijk, 2015.

VAN DER AA, S., "Protection orders in the European member states: where do we stand and where do we go from here", *European Journal of Criminal Policy and Research*, vol. 18, 2012, pp. 183-204.

VAN DER AA, S., *Mapping the legislation and assessing the impact of*

Protection Orders in the European Member States. National Report The Netherlands, POEMS project, 2015.

VAN DER AA, S., *Stalking in the Netherlands: Nature and prevalence of the problem and the effectiveness of anti-stalking measures*, tesis doctoral, 2010.

VARONA GÓMEZ, D., "La suspensión de la pena de prisión: razones de una historia de éxito", *Revista Española de Investigación Criminológica*, núm. 17, 2019.

VILLACAMPA ESTIARTE, C. / PUJOLS PÉREZ, A., "Prevalencia y dinámica de la victimización por *stalking* en población universitaria", *Revista Española de Investigación Criminológica: REIC*, núm. 15, 2017, pp. 1-27.

VILLACAMPA ESTIARTE, C. / PUJOLS PÉREZ, A., "*Stalking*: efectos en las víctimas, estrategias de afrontamiento y propuestas legislativas derivadas", *InDret: Revista para el análisis del derecho*, núm. 2, 2017, pp. 1-33.

VILLACAMPA ESTIARTE, C., "La introducción del delito de "*atti persecutori*" en el Código Penal italiano. La tipificación de *stalking* en Italia", *InDret: Revista para el análisis del derecho*, núm. 3, 2009, pp. 1-29.

WARD, R. / DAVIES, O. M., *The Criminal Justice Act 2003. A practicioner's guide*, Ed. Jordans, Bristol, 2004.

WOHLERS, W., "Derecho penal como *ultima ratio*. ¿Principio fundamental del Derecho penal de un Estado de Derecho o principio sin un contenido expresivo propio?", ROBLES PLANAS, R. (ed.), *Límites al Derecho penal. principios operativos en la fundamentación del castigo*, Ed. Atelier, Barcelona, 2012, pp. 109-128.

YOUNG, R., "Street Policing after PACE: the Drift to Summary Justice", CAPE, E. / YOUNG, R. (eds.), *Regulating Policing: the Police and Criminal Evidence Act 1984. Past, Present and Future*, Ed. Hart, Oxford, 2008, pp. 149-189.

ZANDER, M., *Diversion from criminal justice in an English context: report of a NACRO working party under the chairmanship of Michael Zander*, Barry Rose Law Publishers, Chichester, 1975.

Apuesta por Tirant Online, la base de datos jurídica de la editorial más prestigiosa de España.*

www.tirantonline.com

Suscríbete a nuestro servicio de base de datos jurídica y tendrás acceso a todos los documentos de Legislación, Doctrina, Jurisprudencia, Formularios, Esquemas, Consultas o Voces, y a muchas herramientas útiles para el jurista:

* Biblioteca Virtual
* Herramientas Salariales
* Calculadoras de tasas y pensiones
* Tirant TV
* Personalización

* Foros y Consultoría
* Revistas Jurídicas
* Gestión de despachos
* Biblioteca GPS
* Ayudas y subvenciones
* Novedades

* Según ranking del CSIC

☎ 96 369 17 28
🖷 96 369 41 51

✉ atencionalcliente@tirantonline.com
🌐 www.tirantonline.com